2

Équipe de production :

Conception, recherche et coordination :
Danielle L. Duranceau, Allcom Stratégies Communications
Rédaction : Alain Kradolfer, Allcom Stratégies Communications

Conseils professionnels et validation des textes :
Dr Huguette Bérubé, Ph.D., chef du Service de psychologie
    Hôpital Sainte-Justine, Montréal
Dr Louis Geoffroy, pédiatre-urgentologue
    Hôpital Sainte-Justine, Montréal
Mireille Abran, diététiste-nutritionniste
    Clinique familiale des Prairies, NDP (Joliette)
Josée Marion, pharmacienne, Joliette

Réviseurs : Cécile Dion et Roméo Côté
Conception graphique : Axiome communication
Illustrations : Frédéric Boudreault
Infographie : Isabelle Drolet, Sylvie Day, Dany Malboeuf
Pelliculage : Imago Communication inc.
Impression : Imprimeries Transcontinental inc.
Supervision : André Rhéaume, Famili-Prix inc.

Éditeur : FAMILI-PRIX INC., Québec

Copyright 1998 FAMILI-PRIX INC.
Dépôt légal-Bibliothèque nationale du Québec, 1998
Dépôt légal-Bibliothèque nationale du Canada, 1998
ISBN 2-9805906-0-6

comportement

santé

nutrition

p'tit

Le guide de l'enfance

**Une collaboration
du Groupe pharmaceutique
Bristol-Myers Squibb
et Linson Pharma inc.**

« *Prendre un enfant*
par la main
pour l'emmener vers demain... »

(*Yves Duteil*)

Chers parents,

C'est à la fois en tant que pharmacienne et comme parent que j'ai le plaisir de vous proposer la lecture du P'tit guide de l'enfance.

Votre bébé n'est déjà plus un bébé... La période de deux à six ans, c'est celle où votre enfant commence à s'affirmer, à conquérir son autonomie, à tailler sa place dans notre société. Cette petite personne, notre enfant, a des façons d'agir, des comportements qui nous surprennent et qui suscitent en nous, les parents, de nombreuses interrogations. Nous voudrions le meilleur pour notre enfant mais voilà, l'éducation c'est une tâche qui entraîne de nombreuses hésitations et qui suscite bien des questions.

Comment s'y prendre pour éduquer notre petit trésor? Notre approche est-elle la bonne? Devant les situations qui se présentent, réagissons-nous en bons parents? Il y a tant de questions!

Alors voici un outil qui vous donnera des réponses et qui vous permettra de mieux comprendre votre enfant en tant que personne qui vous aime, qui vous fait confiance et qui vous apporte tant de bonheur.

Josée Marion, pharmacienne

L'Hôpital Sainte-Justine et sa Fondation, près de vous... *pour l'amour des enfants*

3175, Côte-Sainte-Catherine
Montréal (Québec)
H3T 1C5
Téléphone : (514) 345-4710
Télécopieur : (514) 345-4718

Table des matières

Le comportement

La santé

La nutrition

13

Le comportement

Plus que de l'assurance-vie ...

*D*epuis plus de 128 ans, à la Mutuelle du Canada,
compagnie principale du Groupe La Mutuelle,
nous avons aidé des gens à planifier leur avenir financier.
Nous avons tout un éventail de produits financiers, incluant
l'assurance-vie et invalidité, pour aider à protéger ceux
qui comptent pour vous.

Votre avenir
nous tient
à coeur

1-800-267-3434
(514) 282-1655 (Montréal)
www.LaMutuelle.com

Groupe La Mutuelle

Préface

Votre enfant n'est déjà plus un bébé. Il gambade partout, s'ingénie à poser mille et une questions embarrassantes, s'applique systématiquement à dire « non » et à affirmer haut et fort ses désirs. Néanmoins, il sait mieux que personne se faire pardonner ses maladresses par un « je t'aime » chuchoté au creux de votre oreille et associé à une étreinte digne de Goliath, qui vous fait fondre le cœur et oublier tous vos soucis.

C'est en tant que psychologue et chef du Service de psychologie de l'Hôpital Sainte-Justine, mais aussi en tant que parent que j'ai prêté mon concours au chapitre Comportement de ce guide pour parents d'enfants de deux à six ans. Enfin un outil pour supporter les parents dans cette tâche difficile mais combien fascinante!

En effet, dans le monde où nous vivons, il est primordial de concentrer nos énergies à prévenir les problèmes d'adaptation pouvant survenir à cette période cruciale de la vie de l'enfant, pour éviter que des problèmes plus graves éclatent dans les phases développementales ultérieures.

Que de questions, que d'incertitudes et de points de vue différents quand il s'agit de comprendre le comportement du jeune enfant! Ne vous inquiétez pas, car ce questionnement est normal et même nécessaire : chaque enfant est une personne à part entière, un être unique se développant selon son individualité propre. Ce guide nous propose des points de repère, et non des recettes toutes faites qui n'auraient en définitive aucune utilité. Aucune recette magique, mais plutôt des orientations sur le savoir, le savoir faire et le savoir être comme parents.

À vous d'y ajouter votre grain de sel et, pourquoi pas, quelques épices savamment dosées. Le résultat en sera des plus heureux, car il reposera sur votre créativité et celle de votre «bout de chou» qui, n'ayez crainte, en a à revendre.

Bonne lecture!

Huguette Bérubé, Ph.D.
Psychologue

Chef du Service de psychologie
Hôpital Sainte-Justine, Montréal

Introduction

Votre enfant a deux ans. Vous avez eu amplement le temps de l'apprivoiser, peut-on dire. C'est fou comme il grandit vite... Toutefois, de nombreuses années d'interrogations, de surprises et de joies vous attendent. En deux ans, votre enfant est passé, du stade de nourrisson totalement dépendant de la présence de ses parents et mû essentiellement par le besoin de s'alimenter, au stade de jeune être humain qui commence à comprendre qu'il possède une existence distincte. Il a cependant encore beaucoup à apprendre pour satisfaire ses désirs et ses impulsions d'une manière socialement acceptable.

À l'âge de six ans, votre enfant aura franchi plusieurs stades très significatifs de son développement. Grâce à la maîtrise du langage, il saura raisonner dans l'abstrait; il aura acquis la capacité de se mettre à la place de

Évidemment, tous les parents, aussi bien que tous les enfants, sont des individus distincts, biologiquement et génétiquement, et façonnés par leur environnement. Pour cette raison, il n'existe pas de recette miracle en éducation. Les enfants ne grandissent pas tous au même rythme. Leur développement affectif et intellectuel ne progresse pas non plus de façon uniforme.

quelqu'un d'autre et de distinguer le bien du mal, selon les normes de notre société.

Ce formidable développement humain est basé sur la relation d'amour entre parents et enfant.

Un amour doublement indispensable, pour les parents d'abord, car c'est là qu'ils puisent l'infinie patience que demande l'éducation d'un enfant; pour l'enfant de même, car être entouré d'amour est une condition essentielle du développement affectif et intellectuel. Cet amour est aussi la force vive qui le motive à se conformer aux demandes de ses parents (dans son esprit, elles sont souvent bizarres, non fondées et contraires à ses aspirations... bien égoïstes) car très tôt, obtenir l'approbation de ses parents devient aussi important que la satisfaction de ses désirs.

C'est tout un apprentissage! L'enfant apprend en expérimentant, en jouant, en touchant, en regardant et en goûtant à tout ce qui l'entoure, inlassablement et avec une volonté de fer à laquelle les parents vont se heurter. Ils devront donc l'aider à canaliser ses impulsions, pour l'amener à se contrôler.

Aussi longtemps que l'enfant ne peut pas communiquer efficacement par le langage, les parents doivent jouer au détective pour comprendre son comportement, ses peurs, ses colères, ses refus.

Si on sait pourquoi, soudainement, un enfant de deux ou trois ans refuse obstinément de prendre

son bain, on peut résoudre la situation sans crise ni conflit. Nous verrons comment dans le passage sur les peurs.

Il existe tout de même de précieux points de repère qui permettent de comprendre le comportement de l'enfant et d'agir de manière judicieuse en tant que parents.

La nature humaine

L'être humain est un animal pensant. La nature humaine est à la fois biologique – nous sommes des mammifères, et mentale – nous pouvons raisonner.

Raisonner, cela implique que l'on prenne en considération plusieurs facteurs, qu'on les évalue, que l'on se forme une opinion et qu'on prenne une décision.

Certains raisonnements sont si simples que nous ne nous en apercevons même pas. Par exemple, vous lisez ce livre et automatiquement vous identifiez et comprenez les lettres qui forment les mots et vous donnez ainsi une signification à l'ensemble.

L'enfant de deux ans ne lit pas, mais tout ce qui l'entoure est pour lui un livre où il doit identifier chaque objet par la vue, mais aussi par le toucher, l'ouïe, l'odorat et le goût, afin de parvenir à donner un sens à son environnement.

Au début, le processus de raisonnement est long et laborieux, il faut le répéter un grand nombre de fois. Mais petit à petit, l'enfant le maîtrisera naturellement. Un jeune enfant peut s'amuser avec un livre en le manipulant comme un objet qui fait du bruit et en chiffonnant les pages. Puis, il découvrira qu'il est intéressant de regarder les images et il va apprendre à tourner les pages. Enfin, il deviendra vraiment intéressé par les histoires que lui raconteront les adultes à partir de ces images.

L'éducation impose à l'enfant des contraintes, suscite le refoulement de ses désirs primaires, ce qui est nécessaire pour lui inculquer des attitudes, des valeurs, afin qu'il développe harmonieusement sa propre estime de soi.

Le jeune enfant regarde, touche et goûte n'importe quoi... pour apprendre rapidement que la terre du jardin, ça ne vaut pas des fraises à la crème!

Dès le plus jeune âge, les deux éléments de la nature humaine, le côté biologique-animal et le côté mental-intelligent-civilisé, coexistent. L'être humain doit se développer en accord avec la nature humaine, en adoptant un comportement responsable, et non avec la nature irresponsable de l'animal.

L'enfance, c'est l'âge de l'apprentissage

C'est la période où l'enfant apprend à canaliser et à contrôler ses désirs et impulsions. De tous les apprentissages, c'est le plus difficile; et si les parents vivent cette période en la trouvant pénible, ils doivent bien comprendre que, pour l'enfant aussi, c'est très difficile, parce que l'éducation s'oppose à la nature, à la biologie. Sans éducation, l'enfant s'avérerait totalement inapte à s'ajuster aux exigences de la civilisation.

L'éducation, c'est du jardinage; il faut arracher les pissenlits.

Par exemple, on doit empêcher l'enfant d'arracher les pattes des sauterelles et d'agresser le chat. Il doit acquérir une attitude de dégoût et de répulsion envers la destruction des êtres et des choses, et cela passe par l'attitude des parents.

En effet, le laissez faire pourra avoir des conséquences fâcheuses : l'enfant qui persiste à torturer des grenouilles aura de la difficulté à s'adapter à la vie en société, si son instinct n'est pas modifié au bon moment par des interdits.

I. L'éducation, une histoire d'amour entre parents et enfants

C'est l'amour qui motive tout. La clé du processus de civilisation de l'enfant, c'est l'amour réciproque. L'enfant de deux ans ne recherche que son propre plaisir. Il va toutefois se conformer aux demandes de ses parents parce que ces derniers vont lui témoigner de l'amour lorsqu'il agira en accord avec leurs exigences, c'est-à-dire quand il obéira.

Or, le plaisir d'être aimé de ses parents deviendra plus grand pour l'enfant que le plaisir qu'il éprouve à faire des choses défendues — même si ce n'est pas toujours évident pour le parent qui répète mille fois la même chose.

Pour l'enfant, l'amour constitue la plus puissante motivation.

Pour les parents aussi, l'amour est la plus puissante motivation.

L'amour engendre la patience, la capacité à guider l'enfant avec doigté, la sagesse de la discipline et l'estime de soi. Avec cet amour, l'enfant progressera, prendra sa place dans notre société et méritera le respect de toutes et de tous.

Vers deux ou trois ans, votre enfant peut devenir difficile, entêté, obstiné, disant systématiquement le contraire de ce que les adultes affirment. Et quand on ne l'entend pas, c'est peut-être qu'il est en train de faire un mauvais coup.

Heureusement, cela ne dure pas. Rapidement, l'enfant « civilisé » commence à apparaître. Il commence à apprendre « les manières ».

Les parents n'ont pas besoin d'être parfaits pour élever un enfant sain, s'ils s'efforcent efficacement de bâtir et de

L'éducation, entre deux et six ans, c'est une affaire de cœur, une histoire d'amour qui n'est jamais pareille, parce que les enfants sont différents, parce que les parents n'ont pas tous les mêmes habitudes, objectifs et attentes, parce que les situations ne sont pas les mêmes.

solidifier les liens d'amour qui fournissent les stimulants nécessaires à la croissance et au développement de l'enfant. Ce sont ces liens qui lui permettent de gérer ses propres conflits, de supporter la frustration, de s'adapter et de parvenir à l'équilibre entre ses besoins et les exigences de la réalité.

Bien entendu, l'amour des parents ne doit pas être passif et se traduire seulement par des cajoleries, des becs et des cadeaux.

Le plus beau cadeau qu'on puisse faire à l'enfant, c'est de le guider dans ses apprentissages avec fermeté, bonne volonté et en toute équité (rien ne révolte plus un enfant que l'injustice!). Si on ne prend pas la peine, chaque jour, de modifier les comportements de l'enfant pour qu'ils deviennent socialement acceptables, on se dirige tout droit vers de véritables problèmes de comportement.

Si, par exemple, on interdit quelquefois à l'enfant de toucher au magnétoscope, tout en le laissant faire la moitié du temps, on lui donne un message confus. Il ne le comprendra pas; il n'en fera alors qu'à sa tête. Pire, l'enfant interprétera notre indécision comme de la faiblesse, et il en profitera effrontément, au maximum, et sans aucun remords. Il va toucher à tout, pas seulement au magnétoscope. En l'absence d'interdictions claires et valables en tout temps, il va tester les limites de la tolérance de ses parents.

Voilà, il y a bien des questions que tout le monde se pose sur le comportement des enfants, il y a des faux pas que les parents doivent éviter, et nous avons quelques réponses à vous proposer.

On ne touche pas!

VHS

II. *La personnalité et la conscience de soi*

Petit à petit, le jeune enfant commence à prendre conscience de sa propre existence comme entité distincte. Il découvre l'intégrité de son corps et il apprend à maîtriser le langage, ce qui lui permet de développer des concepts.

Le « Je », le « Tu », le « Moi »

C'est alors que l'enfant commence à distinguer « Je » et « Tu ». Dès qu'il y parviendra, il mettra cette nouvelle connaissance en pratique : « Je veux » devient une phrase mille fois par jour répétée et donne lieu à des demandes souvent déraisonnables, car l'enfant « veut » tout ce qui lui passe par la tête.

Alors, les parents disent de plus en plus souvent « non » et donnent ainsi l'occasion à l'enfant d'apprendre un autre mot clé, qu'il va lui aussi utiliser abondamment et n'importe comment. C'est aussi, pour lui, l'occasion d'apprendre la puissance évocatrice des mots, la magie des mots.

Graduellement, « je » prend toute sa signification. L'enfant parvient à faire la différence entre ses besoins biologiques et primaires, ses désirs immédiats et les exigences de la réalité, c'est-à-dire les demandes qui lui sont faites dans son environnement : « non », « ne touche pas », « viens ici », « arrête », etc.

L'enfant, parce qu'il aime ses parents, désire leur faire plaisir, il s'efforce alors de se conformer à leurs demandes, même si elles ne correspondent pas à ses besoins primaires. Il doit donc réprimer ces besoins-là. C'est de ce conflit intérieur que commence à se former sa personnalité, son « Moi ».

En tant que parents, il faut en tirer une importante leçon : on ne peut demander à un enfant que ce qu'il est capable de faire et de comprendre.

La connaissance d'un moi séparé, distinct de l'univers qui l'entoure, marque un pas de géant dans le développement de l'enfant. Cela lui permet d'acquérir la compréhension des causes et des effets du monde extérieur. Il perçoit ainsi ses propres limites.

Tout comme on ne peut s'attendre à ce qu'un bébé de quatre mois commence à marcher, on ne peut non plus demander à un enfant de deux ans de raisonner et de comprendre quand il a mal agi. La solution : formuler une interdiction, la répéter, discipliner et récompenser. Sans argumenter.

Reconnaître le bien et le mal

Tant que l'enfant n'a pas atteint le niveau de développement qui lui permet de distinguer le bien du mal, aussi longtemps qu'il demeure incapable de contrôler ses impulsions, il donnera bien du fil à retordre à ses parents.

Toutefois, si les parents comprennent quelles sont les limites de leur enfant à une période donnée de son développement, ils pourront faire face à la situation avec plus de sérénité.

Un enfant n'apprendra pas à contrôler ses impulsions si on ne le lui apprend pas.

Contrairement au développement physique, qui est plus prévisible, le développement affectif et intellectuel peut être très différent d'une personne à l'autre, survenir graduellement ou par à-coups, et pas toujours dans le même ordre. Ce qui est sûr, sans égard à la spécificité de l'enfant, c'est que ce développement social ne s'effectue pas tout seul. Les parents doivent absolument jouer un rôle actif.

S'il a le droit de tout faire, son seul guide sera son propre plaisir. Il deviendra parfaitement incontrôlable et insupportable. Il sera une espèce d'« enfant-roi » qui mènera la maisonnée par le bout du nez.

Laisser un enfant faire tout ce qu'il veut, c'est lui donner un bien mauvais départ dans la vie...

Graduellement, votre enfant va devenir capable de sacrifier la recherche de son seul et unique plaisir et de tendre vers l'obtention d'une autre satisfaction : celle d'obtenir l'approbation de ses parents.

L'enfant de trois ans a une meilleure maîtrise de lui-même qu'à l'âge de deux ans, mais ce n'est pas parce qu'il sait déjà distinguer le bien du mal; c'est plutôt qu'il perçoit la réprobation ou l'approbation de ses parents. À force de lui répéter ce qui est permis et ce qui est interdit, il finira par acquérir la compréhension du genre d'actions permises ou acceptables et de celles qui sont défendues. Graduellement, il en arrivera à ressentir de la culpabilité lorsqu'il adoptera un comportement fautif.

Patience!

Il faut beaucoup de temps, beaucoup de répétitions, beaucoup d'amour. Patience!

En attendant, la vie n'est pas facile.

L'enfant ne comprend tout simplement pas le mot « non » (même s'il l'utilise abondamment), parce qu'il est encore incapable de se dire « non » à lui-même. Par conséquent, les parents doivent faire preuve d'un peu d'imagination. Si on ne peut pas dire « non », il est tout de même possible d'exprimer sa réprobation, de punir l'enfant (on verra comment un peu plus loin), et d'utiliser des techniques de substitution (par exemple, en donnant à l'enfant un objet autre que celui qu'on ne veut pas qu'il touche).

La vie n'est pas facile non plus pour l'enfant, déchiré entre le désir de faire tout ce qu'il veut et celui de plaire à ses parents.

Si les parents, pendant ce temps-là, sont en conflit avec l'enfant, cela ne fera qu'empirer la situation, car l'enfant sera ni motivé à plaire à sa mère qui le gronde tout le temps, ni à son père qui veut tout lui interdire.

Les parents sont compréhensifs et fermes et l'enfant apprend qu'il y a des limites qu'il faut respecter pour que les parents manifestent tout leur amour dont il a tant besoin.

On ne doit pas mettre en doute la bonne volonté de l'enfant. Ses colères, ses refus, son obstination ont des raisons. Ce sont des formes d'expression qu'il faut déchiffrer. Ce ne sont pas des manifestations d'hostilité délibérée à l'égard des parents.

S'il ne se comporte pas à la hauteur des exigences, c'est d'abord parce qu'elles dépassent ses capacités. Ce peut être aussi parce qu'on l'a trop laissé à lui-même; par conséquent, quand on lui demande quelque chose, un conflit éclate immédiatement. La situation fait alors boule de neige, l'enfant ne sait pas se contrôler - puisqu'il ne l'a pas appris - les parents sont impuissants; c'est l'enfer! Qui doit-on blâmer?

Casser des œufs...

En présence de trois œufs sur le comptoir de cuisine (maman prépare un délicieux gâteau), l'enfant dont l'apprentissage est bien encadré n'aura plus cette impulsion irraisonnée de les jeter sur le plancher, comme il aurait très bien pu le faire à l'âge de deux ou trois ans.

Si l'enfant de deux ou trois ans casse les œufs, c'est sans

doute sans mauvaise intention (et peut-être pour une bonne raison[1] , de son point de vue), et il faudra lui manifester une réprobation pondérée. Si l'enfant de six ans casse les œufs, c'est bien différent, il l'aura fait exprès (et pour une bonne raison que les parents devront découvrir), et la punition sera nécessaire, car à cet âge-là, il sait qu'il a commis un acte répréhensible.

C'est sûr que, dans sa troisième année, l'enfant veut toucher à tout. Il faut bien qu'il explore le monde qui s'ouvre à lui! La meilleure solution, c'est de mettre hors de sa portée les objets qu'il pourrait endommager.

« Il faut qu'il apprenne à ne pas toucher! », va s'écrier grand-maman. Évidemment, il faudra bien qu'il apprenne

---

1 L'enfant de deux ou trois ans pourrait casser les œufs pour le plaisir de contempler le beau jaune qu'il sait qu'il renferme, ou pour aider Maman à la préparation du gâteau, ou bien pour s'assurer qu'il s'agit bien d'œufs, ou même parce que le bruit des œufs qui s'écrasent est agréable et que piétiner les dégâts, c'est encore plus intéressant que de jouer dans la boue...

Il faut tenir l'enfant pour responsable de ses actes. C'est un apprentissage graduel, qui prend du temps.

à ne pas toucher. Toutefois, pour l'instant, c'est trop tôt. L'enfant ne sait pas encore assez se contrôler et il ne sert à rien d'essayer de le raisonner.

Cet apprentissage se fait plus tard, graduellement. Ça va prendre du temps, il faudra inlassablement recommencer les mêmes leçons, mais petit à petit...

Cette tâche des parents, qui consiste à réprimer les impulsions de l'enfant, n'est pas aisée.

Il faut que l'enfant, qui est en train de développer sa perception de sa propre personnalité, qui commence à comprendre qui est « je », sache justement que « je » est responsable, que les œufs ne se sont pas cassés tout seuls, qu'il ne fallait pas les casser.

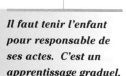

Voilà comment on évitera bien des conflits immédiats et bien des impasses plus tard.

III. *L'enfant et son corps : découvertes et psychologie*

Au fur et à mesure qu'il grandit, l'enfant commence à comprendre qu'il est un être distinct de ceux de son environnement. Cette prise de conscience du « moi » débute par l'exploration de son propre corps.

Les questions

Ce corps qui signifie son identité, l'enfant va le comparer aux autres corps qui l'entourent; il va ainsi commencer à différencier les sexes et à assumer le sien.

Vers trois ou quatre ans, l'enfant va poser des questions mille fois répétées pour savoir d'où il vient. Les parents sont alors bien embêtés pour donner une réponse satisfaisante.

On peut dire toute la vérité (avec doigté), raconter des histoires de cigognes ou de graines, une chose est sûre : l'enfant qui pose des questions s'est déjà bâti une théorie, mais elle est incomplète. Il va donc intégrer vos réponses à sa théorie, et les résultats seront souvent surprenants.

En fait, on recommande de faire parler l'enfant qui pose des questions, pour ensuite donner les compléments d'information qu'il demande. Il n'est pas besoin d'en dire plus que ce que l'enfant veut savoir.

Surtout, ne ridiculisez jamais votre enfant en ce qui concerne ses théories. Encouragez-le à s'exprimer. Riez de lui, et il ne partagera plus ses idées avec vous : vous aurez alors des difficultés à renouer le dialogue.

L'ennui, c'est que si vous expliquez les choses telles qu'elles sont, l'enfant risque tout simplement de ne pas vous croire, car il ne vous aura tout simplement pas compris. Jugez par vous-mêmes : un spermatozoïde invisible (microscopique) rencontre un œuf lui aussi invisible et passe par une ouverture spéciale, invisible elle aussi. C'est pas mal plus facile de croire au Père Noël!

La prise de conscience sexuelle chez l'enfant suscite une forte curiosité. Pour trouver des réponses, les enfants vont s'explorer mutuellement. Il n'est pas rare qu'une maman très embarrassée soit soudain confrontée à une situation délicate en surprenant son fils et la fille du voisin, tous deux âgés de cinq ans, flambant nus dans la salle de bains et en train de s'examiner de près. (La même situation peut très bien se produire entre un frère et une sœur d'âges rapprochés).

Naturellement, vous allez demander aux enfants de se rhabiller, renvoyer gentiment la petite fille

chez elle, puis discuter tranquillement avec votre fils :
« Alors, comme ça tu as vu que les filles ne sont pas faites comme toi, c'est ça? Sais-tu pourquoi? As-tu des questions? »

Quant à elle, la petite fille pourrait très bien exprimer de l'inquiétude parce qu'il lui manque quelque chose. Il faut la rassurer.

Ne freinez pas leur curiosité. C'est le moment ou jamais d'être maternelle et paternel.

Être une fille

Peut-être la petite fille en voudra-t-elle à sa mère de ne pas l'avoir faite « complète ». C'est à maman de fournir des explications, mais, surtout, d'être un modèle, en assumant sa féminité par son comportement. C'est par amour pour sa mère et en voulant s'identifier à elle que la petite fille développe sa propre féminité.

Le père a également un rôle important à jouer, qui consiste à démontrer à sa fille qu'il apprécie sa féminité. Il ne l'encouragera pas à se comporter en garçon, afin qu'elle ne croie pas être « plus aimée » quand elle ressemble à un garçon.

Être un garçon

Le p'tit gars fonceur qui sait s'imposer aux autres, agressif même, n'est pas nécessairement viril pour autant. De même, le garçon un peu timide, tranquille, capable de montrer ses sentiments, n'est pas non plus une « poule mouillée » à la masculinité douteuse. Il faudrait oublier les stéréotypes. Un garçon qui bat ses camarades ne doit pas être encouragé par des parents heureux de voir à quel point il se comporte en « vrai gars ».

Rassurer, c'est le mot clé. Les enfants découvrent leurs corps et des sensations, ils s'en étonnent, et si les parents sont mal à l'aise devant les questions, les enfants vont vite croire qu'il y a là quelque chose de honteux et caché.

Si le père veut jouer efficacement son rôle de modèle, il n'hésitera pas, par exemple, à participer activement aux travaux ménagers.

Les relations entre les parents, en tant que conjoints, dont les enfants seront témoins, donneront à ces derniers de précieuses indications sur la façon de se comporter selon que l'on est une fille ou un garçon.

Complexe d'Œdipe :

« Je vais me marier avec Papa - avec Maman »

Votre fille vous a-t-elle déjà annoncé que « quand elle sera grande » elle ira sur la Lune? Peut-être vous a-t-elle plus tard déclaré qu'elle serait docteur et irait vivre dans la forêt vierge? Enfin, un beau jour, elle annonce qu'elle va épouser Papa! Les enfants ont de ces idées…

On a vu que les enfants prennent leurs parents comme modèles. Papa et Maman s'aiment. La petite fille aime son papa. Mais soudain, elle s'aperçoit qu'elle doit partager cet amour avec Maman. Or, elle veut Papa pour elle toute seule. Elle va donc entreprendre de le séduire, pour l'épouser. La bonne nouvelle, c'est que votre fille assume sa féminité sans aucun problème. Néanmoins, la situation peut devenir délicate.

Attention aux messages que vous envoyez par votre comportement!

C'est ce que les psychologues appellent le « complexe d'Œdipe ». Ils ont écrit une pléiade d'ouvrages à ce sujet. Les enfants, quel que soit leur sexe, sont susceptibles d'éprouver cette attirance pour leur parent du sexe opposé. Elle peut se manifester avec plus ou moins d'amplitude.

Le problème qui peut survenir, c'est que l'enfant se trouve alors dans une situation de déchirement complexe. La petite fille entre en lutte avec sa mère. Au pire, elle pourra souhaiter que sa mère, devenue sa rivale, « disparaisse » pour qu'elle ait le champ libre.

Mais en même temps, elle aime sa mère, qui lui manquerait beaucoup. Et elle se sent coupable de souhaiter ainsi sa disparition.

C'est la puissance des liens positifs entre la fille et sa mère, ou selon le cas entre le fils et son père, qui permet de finalement résoudre le conflit. L'enfant renonce et se résigne : « Puisque je ne peux pas prendre la place de Maman, alors je vais être comme elle ». On comprend maintenant combien le rôle de modèle des parents est important.

Le casse-tête de la propreté

La meilleure façon de rendre un enfant propre, c'est d'attendre qu'il en prenne la décision lui-même. Cette décision, il peut être poussé à la prendre en observant le comportement des autres enfants et des adultes. En général, l'enfant acquiert le contrôle de ses sphincters entre l'âge de deux ans et de quatre ans. C'est très variable d'un enfant à l'autre.

L'apprentissage de la propreté n'est pas une course contre la montre.

Des solutions pour les parents :

- *tant que votre enfant ne manifeste pas qu'il est prêt, c'est inutile de vouloir lui enseigner la propreté;*
- *évitez absolument les « batailles » parents-enfants au sujet de la propreté, elles ne serviraient qu'à renforcer le refus de l'enfant;*
- *observez la phase de développement où l'enfant va de plus en plus s'affirmer comme être à part entière; là, il sera plus réceptif;*
- *comprenez qu'en acceptant d'aller aux toilettes, l'enfant vous fait un cadeau;*

- *on ne peut vraiment pas savoir à quel âge un enfant va être propre, cela est très variable d'un individu à l'autre;*
- *en général, les garçons apprennent plus tard que les filles;*
- *si l'enfant a peur, s'il s'oppose, surtout n'insistez pas.*

Soyez patients, chaque enfant a son propre rythme d'apprentissage. Un truc : des vêtements faciles à enlever, car quand votre enfant réalise qu'il faut aller aux toilettes, c'est souvent très, très urgent! Donc, si l'apprentissage de la propreté peut attendre la saison chaude, ce sera plus facile.

Le respect mutuel

On a vu que l'enfant attache une très grande importance à son corps, parce que c'est son « moi ». On sait aussi qu'il est curieux de voir comment « les autres » sont faits, pour s'assurer que son propre corps n'a rien d'exceptionnel.

Votre enfant sera donc un peu voyeur et pourrait vous guetter au sortir de la salle de bains. Intrigué, un petit garçon pourrait vouloir toucher la poitrine de sa mère, une petite fille examiner de très près le pénis de son père.

Voilà une excellente occasion pour parler de respect avec l'enfant. Les enfants n'ont pas à entrer dans l'intimité de leurs parents. Il faut expliquer que son corps, c'est très privé. On ne doit pas « toucher » à Maman ni à Papa. Personne non plus ne peut « toucher » à l'enfant. Par lui-même, l'enfant ne désire pas qu'on le « touche », ça le gêne beaucoup. Il faut renforcer cette attitude naturelle. L'enfant doit respecter les autres, et se faire respecter aussi. Il doit savoir qu'il mérite ce respect-là. Il doit savoir qu'il peut avoir recours en tout temps à ses parents si quelqu'un ne lui accorde pas ce respect. Or, il y a malheureusement trop de tels cas et, quand cela se produit

La règle d'or de l'apprentissage de la propreté : ne jamais forcer l'enfant, ne jamais le punir, toujours le féliciter pour ses réussites.

au sein de la famille, hélas! les conséquences pour l'enfant sont très graves, peut-être irréparables. On ne protège jamais trop les enfants à ce niveau-là.

IV. *Le langage, outil magique*

Les premiers mots de bébé n'ont aucune signification. À un an, le bébé peut articuler « maman » parce qu'il est content de l'effet que le son produit : c'est nouveau et cela déclenche des sourires et des becs! Néanmoins, il faudra plusieurs mois pour que la relation entre le fait de crier « maman » et l'arrivée de celle-ci s'établisse. Dès que l'enfant la comprend, il entre dans la magie du langage. Bientôt, à force d'essais et de répétitions, il apprendra que « biscuit » est un autre mot magique, et ainsi de suite.

Petit à petit, l'enfant en viendra à établir un lien entre le mot « maman » et la personne qu'il désigne. C'est un événement majeur dans

Fido!

Grâce au langage, l'enfant peut non seulement se repré-senter mentalement les personnes et les objets, mais les actions aussi, de même que leurs conséquences.

le développement de l'enfant. En effet, en comprenant la signification de « maman », l'enfant, grâce au mot, peut se représenter l'image mentale de sa mère. Ainsi, quand sa maman lui manque, par exemple lorsqu'elle a quitté la chambre à l'heure du coucher, l'enfant va se répéter le mot rassurant « maman » (et, progressivement, les mots dési-gnant d'autres personnes ou objets aimés), recréant de cette manière son environnement qu'il a dû abandonner avant son sommeil. En substituant aux personnes et aux objets leur nom, l'enfant surmonte l'angoisse de sa solitude dans la nuit en la peuplant de ceux qu'il aime.

Le contrôle des impulsions

Peu à peu, le langage va remplacer le besoin irrésistible de toucher les objets défendus. Plus besoin de tirer sur les moustaches du chat, il suffit de prononcer « minou, beau ».

Pour reprendre l'exemple des œufs, l'enfant de deux ou trois ans qui les a cassés sur le plancher de la cuisine n'a pas songé aux conséquences de son acte : il n'en était pas capable; une punition est inutile, mais l'acte demande de la part des parents une ferme expression de mécontentement et l'interdiction de le répéter.

Toutefois, avec la magie du langage, il deviendra capable de se former une image mentale des œufs cassés et des dégâts ainsi causés. Si, chaque fois que l'enfant a cassé des œufs, on lui a toujours répété que c'était mal, l'image mentale des dégâts qui seront provoqués sera suffisante pour que l'enfant ne casse plus les œufs, comprenant que c'est mal. En même temps, l'enfant comprendra progressivement qu'il existe une bonne manière de casser les œufs.

Le langage, bien sûr, devient aussi un outil de communication avec l'enfant. On peut enfin commencer à l'aider à se contrôler en lui parlant.

C'est ainsi que, peu à peu, l'impulsion de casser les œufs n'importe comment disparaîtra complètement. Et c'est aussi pour cette raison que l'on sait que l'enfant plus âgé qui casse les œufs le fait sciemment, et il doit être puni en conséquence (on ne parle pas ici de maladresse de la part d'un enfant qui veut aider maman à préparer le gâteau).

Lorsque l'enfant pique une belle colère, on peut l'amener à en expliquer la raison, et l'encourager ainsi à s'exprimer verbalement plutôt que d'une manière primitive, en frappant, en hurlant, etc.

Enfin, le langage permet la pensée créative. Il ouvre grand les portes à l'imagination. L'enfant de cinq ans comprend que les pensées et les actes sont deux choses différentes. Avant cet âge-là, la magie du langage opérait autrement : elle faisait apparaître Maman et permettait de déguster un biscuit. Maintenant, à quatre ou cinq ans, elle permet d'inventer, de faire semblant, de s'exprimer.

Le langage facilite grandement la tâche d'éducateurs des parents.

Trucs d'apprentissage

- *Ne corrigez jamais ostensiblement les erreurs de votre enfant. Répétez avec diplomatie ce qu'il vient de dire, mais correctement. S'il hésite sur un mot, prononcez-le immédiatement pour maintenir son intérêt.*

- *Il est sensible au raisonnement : donnez-lui un problème simple à résoudre avec des questions, des options, des solutions, en discutant avec lui de chaque étape. Demandez-lui son opinion sur un sujet sur lequel vous tomberez d'accord, pour lui donner l'impression d'avoir pris la décision.*

- *Faites des phrases plus longues et plus complexes. Lorsque votre enfant s'adresse à vous, tournez-vous vers lui et écoutez-le*

avec attention. Opinez du chef et inclinez la tête pour montrer que vous écoutez.

- *Répondez toujours à ses questions. Vous n'avez pas besoin de dire toute la vérité : la parcelle qu'il comprend suffit. Mais ne mentez jamais, ne cachez rien. Votre enfant le découvrirait et ne vous ferait plus confiance. Il pose sans cesse les mêmes questions : répondez la même chose, sans vous impatienter.*

- *Les contes de fées doivent faire partie des lectures quotidiennes. Ils l'aident à s'habituer au monde sans le traumatiser et améliorent sa perception du réel et de l'irréel, du passé, du présent et du futur, de la droiture et de l'injustice, du bien et du mal, de la gentillesse et de la brutalité, etc.*

(Dr Miriam Stoppard,
Stimulez le développement de votre enfant
©1996, Libre Expression, Montréal
reproduit avec autorisation)

À cela, on peut ajouter :

- *Ne lui parlez pas en bébé car votre enfant est un grand imitateur; il continuera alors à s'exprimer en bébé.*

• *Si vers l'âge de deux ans à deux ans et demi votre enfant ne parvient pas encore à formuler de petites phrases simples, parlez-en à votre médecin; mieux vaut prévenir que guérir.*

Aider un enfant à maîtriser le langage, c'est une chose; l'aider à vaincre des difficultés d'apprentissage, c'en est une autre et, dans ce cas-là, l'intervention d'un orthophoniste sera votre meilleur gage de réussite.

Le langage, outil de créativité

Quand le langage perd la magie qui fait apparaître les personnes et les objets, c'est l'imagination (rendue possible par le langage) qui prend la relève. L'imagination, c'est le rêve éveillé, c'est l'univers fantastique de l'enfance, univers dont les adultes conservent des souvenirs plus ou moins confus, des impressions qui, inconsciemment, ont marqué notre personnalité.

Les objets les plus courants prennent une nouvelle vie grâce à l'imagination, et à côté de toutes les possibilités qu'ils offrent, la poupée à piles qui fait pipi ne fait pas le poids!

L'imagination et le jeu sont indissociables. Tous les parents savent qu'un enfant peut jouer des heures avec une simple boîte de carton qui sera tantôt une locomotive, un avion, une maison, une île déserte... et le lendemain, une simple couverture permettra d'ériger une tente meublée de coussins, où l'enfant voudra prendre sa collation et même faire sa sieste (sans résistance, pour une fois!).

En même temps que l'imagination se développe la curiosité. Ensemble, ces deux aspects du jeu constituent une puissante motivation pour apprendre.

Robert et le lion, compagnons imaginaires

L'enfant n'imagine pas seulement des situations, il se crée des interlocuteurs imaginaires qui vivent dans ses jeux, mais également parfois dans sa vie quotidienne. Selon les spécialistes, il est naturel pour les enfants de se créer, en effet, un compagnon imaginaire.

Ce compagnon, qui peut « vivre » pendant des mois, aide à affronter les difficultés. L'apprentissage du langage et la capacité à faire semblant rendent possible la création de l'être imaginaire. Cela n'a rien d'exceptionnel ni de troublant même si, au début, la situation semble étrange aux parents. Il leur suffira d'entrer dans le jeu, mais sans trop encourager l'enfant, afin d'éviter que le personnage imaginaire ne devienne trop encombrant.

Né de l'imagination de l'enfant, le personnage imaginaire peut être créé à sa ressemblance ou bien être très différent par son âge ou sa nature (ce peut être un lapin ou un lion, etc., sorti tout droit de contes de fées). L'enfant va converser avec ce compagnon et même le dessiner aux côtés de Papa, Maman, lui et Pitou lorsqu'il exécutera un portrait de famille. Il

L'être imaginaire peut être utile pour calmer les peurs et pour régler les conflits.

aura peut-être sa place réservée à table (ou dans l'auto, etc.), et ce sera à Maman de décider si elle pousse la collaboration jusqu'à lui donner une assiette et un verre ou si elle préfère convaincre l'enfant que les lapins n'ont pas leur place à table.

La petite fille qui se crée un lion bien dompté pourra compter sur lui pour la protéger des ombres qui l'oppressent la nuit. Et l'enfant qui a cassé les œufs pourrait fort bien en transférer la responsabilité sur son ami imaginaire Robert : « J'ai rien fait, c'est Robert! ». Dans le premier cas, le lion obéissant prête sa force à la petite fille, qui ne se sent pas en mesure de se rassurer toute seule, mais est néanmoins capable de puiser en elle-même cette ressource.

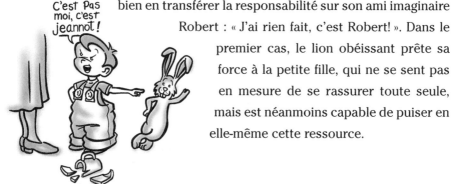

Quant à Robert, eh bien! il est le produit du dilemme intérieur de l'enfant qui souhaite à la fois céder à ses désirs de s'amuser en faisant ce que les parents considèrent comme des mauvais coups, et à la fois obtenir l'approbation et l'amour de ses parents.

Il est en bonne voie d'apprendre à contrôler ses impulsions.

Comme l'enfant a conscience qu'il agit mal (ce qui est un très bon signe), il met la bévue au compte de Robert. Puis, il va gronder Robert et le blâmer pour ses mauvais coups, tout à fait comme ses propres parents le blâment en semblable occasion. Sachez donc que votre enfant a compris le message que vous avez tant de fois répété et qu'il est en train de résoudre son dilemme personnel par le biais du jeu.

Expliquez à l'enfant qu'il doit absolument être plus exigeant et ferme avec Robert pour l'empêcher de recommencer.

L'enfant est responsable; il faut qu'il le sache et peu importe pour l'instant qu'il soit tenu responsable de ses propres actes ou blâmé pour avoir négligé de contrôler Robert. L'important, c'est que l'enfant sache que le comportement fautif n'est pas acceptable et que c'est de sa responsabilité si les œufs ont causé un beau dégât dans la cuisine.

En apprenant à contrôler Robert, l'enfant apprend à se contrôler lui-même.

Petit à petit, le désir de plaire à ses parents va l'emporter sur le désir de casser les œufs sans raison et Robert disparaîtra. Un sort semblable attend le lion : une fois les peurs vaincues, il ne sera plus indispensable.

L'ami imaginaire a aussi l'avantage d'aider l'enfant à s'exprimer. Demandez à votre enfant de vous décrire son ami imaginaire, son aspect, son comportement, et vous en apprendrez long sur votre propre enfant, ses peurs, ses désirs, ses besoins.

Si on l'interroge à fond sur Robert ou sur le lion, l'enfant admettra que le compagnon n'existe que « dans sa tête ». Tout en acceptant l'ami imaginaire, les parents doivent prendre garde à ne pas renforcer son existence. Il faut laisser à l'enfant la liberté d'évoluer, et son développement amènera tout naturellement la disparition du compagnon imaginaire. Toutefois, si l'enfant persiste à blâmer autrui pour les gestes qu'il pose, c'est différent, et il faudra peut-être intervenir.

Il ne faut jamais oublier que l'enfant se développe non seulement à partir de ses expériences satisfaisantes, mais également à partir de ses insatisfactions, ses échecs.

V. Le droit d'éprouver des émotions

On voudrait que nos enfants soient bien protégés, qu'ils ne retirent de la vie que les côtés positifs. On voudrait que nos enfants ne fassent l'expérience que d'émotions valorisantes, afin qu'ils s'épanouissent dans la confiance en eux-mêmes et en leur entourage. N'est-ce pas là leur donner une vision incomplète de leur environnement? Et les priver d'un enrichissement personnel? Tôt ou tard, la dure réalité va frapper à la porte et les parents qui n'y sont pas préparés vont éprouver des difficultés.

Le chagrin, il faut l'exprimer

Pour nous, les adultes, pleurer la perte d'un être cher est nécessaire à notre processus émotif du deuil, et le chagrin est la réaction normale qui nous permet de surmonter l'épreuve. Éprouver du chagrin et l'extérioriser, c'est normal; on sait bien qu'il ne faut pas garder son chagrin (ni sa colère) « en dedans ».

Extérioriser nos émotions nous permet de les apprivoiser, de vivre avec. Eh bien! il en va exactement de même avec les enfants.

Le jour où Tonton le canari sera retrouvé gisant, sans vie, il faudra être disponible pour donner des explications. Si grand-père décède, les parents devront être sensibles à l'impact de cet événement, même chez le très jeune enfant.

Dans le cas de Tonton le canari, il sera relativement facile d'expliquer qu'il a cessé de vivre mais qu'il peut encore exister dans notre souvenir. On laissera quelque temps s'écouler avant

L'important, c'est d'être ouvert, disponible à répondre aux questions de l'enfant, sans offrir de réponses toutes faites.

On voudrait que nos enfants soient à l'abri des émotions difficiles. Mais il est inutile, et même nuisible, d'essayer d'empêcher l'enfant d'éprouver de telles émotions. L'enfant apprend en partie à se comporter en observant le comportement de ses parents.

de remplacer le canari. Pourquoi ce délai? Il faut laisser à l'enfant le temps de digérer l'événement. En aucun cas, on ne peut lui laisser croire que l'être aimé, Tonton le canari, est remplaçable ou interchangeable. Pas plus que grand-père n'est remplaçable.

Une mère qui pleure le décès de son propre père en présence de son enfant agit normalement. C'est naturel.

Ce qui n'est pas naturel, c'est de ne montrer aucun chagrin devant l'enfant et de lui envoyer ainsi un message erroné : l'enfant croira que malgré le chagrin qu'il ressent, il ne faut pas pleurer. Pourtant, il sait que Maman est triste, même si elle se cache pour pleurer. Alors, il va refouler son émotion, la garder « en dedans ». Il pourra en résulter des problèmes d'adaptation et une négation de la réalité du décès.

Bien sûr, la grande question de l'enfant sera de savoir ce qu'il est advenu de grand-père. Là, les réponses toutes faites ne sont pas les meilleures. En fait, la meilleure solution, c'est alors de laisser parler son cœur. Après tout, l'important c'est que l'être aimé demeure dans notre cœur. Grand-père n'est plus là, mais l'héritage de son souvenir est précieux et ainsi grand-père continue de vivre en nous.

Le partage en famille des émotions permet de les apprivoiser.

Il faut en parler ouvertement, mais sans donner d'informations inutiles. La meilleure manière d'établir un dialogue constructif sera de répondre avec simplicité aux questions de l'enfant.

La colère

Tant chez l'adulte que chez l'enfant, la colère est une émotion normale que chacun a le droit de ressentir.

L'enfant a le droit d'éprouver de la colère, mais il doit apprendre à l'exprimer de façon socialement acceptable. Il n'a pas à imposer ses colères à ses parents ni à ses frères et sœurs.

Naturellement, plus les enfants sont jeunes, moins ils possèdent de contrôle sur eux-mêmes et de capacité à s'exprimer calmement. Si les parents répondent à la colère par la colère, tout ce qu'on obtient, c'est un dialogue de sourds qui risque sans doute de mal tourner.

En reconnaissant la colère de l'enfant, on peut commencer à la gérer par la communication. « Tu n'es pas capable de te contrôler et tu ne sais plus ce que tu fais, va te calmer et attends que je revienne, nous allons ensuite arranger les choses. » Si l'enfant pique une grosse colère, hurle, se jette à terre, frappe autrui ou brise des objets, il faut lui faire comprendre que son comportement est inacceptable. Comme il y a bien des risques qu'il ne soit pas réceptif du tout, il suffira de l'isoler quelques minutes. Puisque dans cet environnement isolé, mais pas dans sa chambre, afin qu'il ne fasse pas un lien entre aller se coucher et aller en punition, il n'y aura plus personne pour réagir à la colère, il y a fort à parier qu'elle va s'atténuer d'elle-même.

La plupart des enfants détestent être isolés. Dans ce cas, l'enfant va rapidement s'apaiser et revenir vers ses parents. C'est là qu'intervient le processus de communication qui vise à amener l'enfant à exprimer de manière plus civilisée l'émotion qu'il ressent avec intensité.

On oppose ainsi à la colère de l'enfant une attitude calme et encourageante, pour lui faire comprendre que son émotion est légitime et qu'on peut en parler. Le problème peut être résolu avec la communication paisible, des sourires et de bons becs. C'est ainsi que les parents cherchent à habituer l'enfant à exprimer sa colère de façon constructive.

Négliger cet apprentissage de contrôle de la colère peut encourager le développement de l'agressivité chez l'enfant.

L'utilisation de la fermeté, de l'isolement, puis de l'inter-action paisible avec l'enfant va contribuer au développe-ment harmonieux de sa personnalité. Ce qui ne veut pas dire qu'il ne se mettra plus jamais en colère... mais que cette énergie-là sera canalisée de façon constructive.

La culpabilité, un mal nécessaire

Lorsque l'enfant a un comportement incompatible avec les attentes des parents, ces derniers vont s'y opposer avec fermeté. L'enfant ressentira à ce moment-là comme un amoindrissement temporaire de l'amour de ses parents, qui est ce à quoi il tient le plus. Il en sera perturbé dans son estime de lui-même, en com-prenant plus ou moins clairement et cons-ciemment qu'il a mal agi. Le sentiment de culpabilité qu'il arrivera à éprouver aura un rôle important à jouer dans son développement personnel et social.

Personne n'aime se sentir coupable, et tout le monde cherche à échapper à ce sentiment. Or le meilleur moyen d'y parvenir, c'est d'éviter de se mettre dans des situations qui peuvent entraîner de la culpabilité.

Graduellement, lorsque l'enfant ressentira l'impulsion de commettre un acte interdit, il se souviendra du sentiment de culpabilité éprouvé à une occasion précédente. Cela fait partie intégrante de son processus d'apprentissage pour parvenir à se contrôler.

Ceci ne signifie pas du tout qu'on doive penser : « Mon enfant se sent coupable, tant mieux! ». Non, ce n'est pas ça. Il faut réagir positivement à la culpabilité de l'enfant. Casser les œufs que maman avait sortis du réfrigérateur

Pour l'enfant, le sentiment de culpabilité, c'est comme la brûlure : un système d'alarme.

Les tentatives de l'enfant pour explorer le monde qui l'entoure (et qui l'amènent à casser des œufs) peuvent causer des dégâts, mais il ne serait pas très constructif de culpabiliser sans cesse l'enfant à tout propos.

pour préparer un gâteau doit susciter un sentiment de culpabilité quand le geste a été posé alors que l'enfant savait très bien qu'il faisait une bêtise.

Cette culpabilité, conséquence des infractions au comportement que l'enfant sait qu'on attend de lui, est constructive. À condition toutefois que les parents prennent bien soin d'exprimer leur réprobation et ce, sans excès par rapport à la faute commise.

Or l'enfant a aussi des comportements qui sont le résultat d'erreurs ou de défaillances. Il ne faut pas confondre ces erreurs de comportement avec les bêtises commises délibérément. Ces erreurs n'ont rien d'étonnant ou d'anormal, puisque l'enfant est en train d'apprendre par une méthode d'essais et d'erreurs, il n'est donc pas indiqué de punir d'une manière qui va créer de la culpabilité.

Le stress : la vie n'est pas toujours facile pour un enfant!

Dans un monde qui n'est pas fait à son échelle, où il n'a pas encore tout exploré, découvert, compris, l'enfant va inévitablement ressentir des peurs, céder à l'anxiété, manifester des symptômes de stress. Pour les parents, le meilleur moyen de gérer ces émotions, c'est d'y faire face et de rassurer. Et pour jouer ce rôle efficacement, il faut pouvoir comprendre pourquoi l'enfant éprouve telle ou telle peur, les raisons de ses angoisses, la nature de son stress.

Les enfants peuvent réagir physiquement contre le stress, par la constipation, la diarrhée, les maux de tête, des troubles de sommeil, etc. Leur comportement peut également être affecté, avec l'apparition de fébrilité, d'irritabilité, etc.

À la maison, les sources de stress sont liées à la séparation (la mort et le divorce sont les causes les plus graves), les discordes, les problèmes émotifs et de comportement des parents, et les pressions indues, c'est-à-dire lorsqu'on attend de l'enfant plus qu'il n'est en mesure de fournir, qu'il s'agisse de comportement ou d'apprentissage.

Arrivée d'un frère, d'une sœur

Une autre cause de stress pour votre enfant peut être l'arrivée d'un nouveau bébé qui va bouleverser les habitudes de toute la maisonnée.

Il sera pour la première fois privé de sa mère pendant quelques jours, puis celle-ci va revenir avec un poupon « trop petit pour qu'on puisse jouer avec ». À cette déception s'ajoute le fait que le bébé monopolise l'attention des parents.

Et ce qui est encore plus marquant, c'est que le statut de votre enfant dans la famille s'en trouve modifié. Il n'est plus unique, ni « le bébé de la famille ». Il perd sa place!

Il faut que les parents se partagent…

L'arrivée du nouveau bébé, un événement pourtant heureux aux yeux de tous, peut être perçu comme bien malheureux par l'enfant. Il est primordial d'y être sensible.

L'enfant ressent vivement la concurrence du nouveau venu; il va être déchiré entre l'amour et la haine, haine qui peut se traduire par des agressions contre le nouveau-né ou par des comportements régressifs — fait pipi au lit, veut une suce, parle en bébé.

Donc, pour aider votre enfant à s'adapter à la nouvelle situation, vous pouvez :

- *passer des moments privilégiés seule ou seul avec votre enfant;*
- *lui apprendre à aider Maman et Papa à s'occuper du bébé;*
- *favoriser l'expression verbale et créative (dessin, etc.) des sentiments de votre enfant.*

Les parents pressés, qui ont des attentes ou même des exigences démesurées, causent un stress nuisible au développement harmonieux de leur enfant.

Essayer de pousser votre enfant à des apprentissages et à des comportements qui sont au-delà de ses capacités, selon son stade de développement et son âge, va aussi créer un stress inutile.

Les causes du stress sont également nombreuses hors du foyer. L'effort qui est demandé à l'enfant pour s'adapter à la vie sociale de la garderie peut causer du stress : votre enfant, qui est tranquille, sera énervé par des camarades trop actifs; il devra peut-être entendre des commentaires dérangeants sur la couleur de sa peau; il devra atteindre un certain niveau de performance, en concurrence avec les autres. Rien de bien grave, somme toute. C'est la vie!

Trucs pour gérer le stress

Sécurisez

L'enfant a besoin de se sentir en sécurité afin de progresser dans son développement. Il est assez courant que les jeunes enfants adoptent spontanément un objet familier comme un toutou en peluche, une couverture, etc., qu'ils traînent partout et qui les aide à se rassurer. Cet objet personnel revêt une grande importance et il convient de le respecter. Ne vous surprenez pas si la « doudou » doit absolument vous suivre dans tous vos déplacements, même si, en tant qu'adultes, vous trouvez l'objet peu attirant, gênant même, à cause de son usure et de l'impossibilité de le garder propre (peut-être pouvez-vous négocier avec votre enfant un séjour dans la machine à laver!)

Respectez l'épanouissement

Laissez l'enfant franchir les étapes de son développement en le guidant et non en le poussant à aller sans cesse plus loin. Cultivez, et les roses s'épanouiront en temps utile.

Ralentissez

Votre enfant doit avoir le temps de rêver, de jouer, de toucher... et de ne rien faire du tout!

Aimez

L'amour des parents développe chez l'enfant la confiance en soi, et c'est la meilleure arme contre le stress.

Dépensez de l'énergie

Allez jouer dehors : le plaisir des jeux d'extérieur, dans la piscine ou en construisant un bonhomme de neige, est un autre moyen de développer la confiance en soi.

Riez!

On n'a encore rien trouvé de mieux que le rire pour se libérer des inconvénients de l'existence. Rire avec ses enfants, c'est un plaisir précieux.

La peur : si on la comprend, elle explique bien des choses

Les comportements apparemment incompréhensibles de nos enfants, et en premier lieu les peurs envers des objets ou des situations qui, ordinairement, ne sont pas de nature à faire peur, sont toujours causés par une bonne raison. Mais ce n'est pas facile de la trouver, et pourtant, il faut absolument tirer la situation au clair, car ce n'est pas avec une fessée qu'on la réglera.

Un jour, raconte la psychologue Selma H. Fraiberg dans son livre *Les années magiques,* la petite Nancy, âgée d'environ deux ans, a soudain refusé de prendre son bain. L'enfant se raidit, pique une colère, c'est la crise, tous les jours. Maman insiste, gronde, rien n'y fait. Pourtant, Nancy aimait bien prendre son bain, alors, que faire?

La réponse est apparue quand la maman de Nancy s'est souvenue qu'un ou deux jours avant les refus de sa fille, elle l'avait laissée dans le bain (Nancy ne voulait pas en sortir) pendant que l'eau s'écoulait. D'abord insouciante, la petite fille avait suivi très attentivement la disparition des cinq derniers centimètres (deux pouces) d'eau dans la baignoire, aspirés par le tuyau de vidange, et elle s'était alors levée d'un bond et avait crié pour que sa maman vienne la sortir du bain tout de suite.

Nancy ne savait pas, à deux ans, qu'elle ne risquait rien, que son corps n'allait pas être entraîné dans le tuyau de vidange, que son « moi » en train de se former n'allait pas disparaître dans des profondeurs horribles. Pas question de prendre de tels risques; donc, plus question de prendre un bain!

Il a fallu réapprendre à Nancy à prendre son bain, avec douceur, en la sécurisant, en restant proche et, surtout, en attendant assez longtemps, après le bain, qu'elle l'ait oublié, avant de vider la baignoire. Nancy a fini par retrouver les joies des éclaboussures au milieu des bulles de savon...

Une autre histoire, celle de Sally[2], nous indique comment peut fonctionner la logique enfantine. Sally s'est mise à avoir peur de la pluie et elle a expliqué à ses parents que c'était parce que c'était « mouillé ». Tu sais bien que c'est mouillé, la pluie, a expliqué Papa. « Mouillé » a répété Sally, deux ans et demi. Et là, Papa a reconnu le mot : celui-là même qu'elle dit, le matin, toute déçue, quand elle se réveille... mouillée.

> *À l'instant où les parents reconnaissent la cause des peurs et réagissent pour y remédier, l'enfant se sent protégé contre l'objet de ses peurs, il n'est plus seul devant l'angoisse, il croit que ses parents peuvent tout. L'enfant est donc bien équipé pour vaincre ses peurs.*

---

2 Elle nous est elle aussi contée par la psychologue Selma H. Fraiberg dans son ouvrage *Les années magiques*.

On l'a vu, les parents doivent être des détectives pour comprendre leur enfant.

Ce travail de détective n'est pas facile, et il n'est pas donné à tout le monde d'être assez fin psychologue pour identifier des faits sans importance à nos yeux mais qui produisent une si forte impression sur les enfants.

Les histoires de Nancy et de Sally, ci-dessus, sont racontées par une psychologue. Les parents de ces enfants ont eu la bonne idée de rechercher une opinion professionnelle. Consulter un tel spécialiste n'est pas du tout un signe d'incapacité en tant que parents, et il y a d'aussi bonnes raisons de demander des conseils qu'il y en a de visiter le médecin au sujet des problèmes de santé courants chez votre enfant.

VI. *La discipline*

La discipline, c'est un ensemble d'habitudes de vie. À ne pas confondre : discipline et punitions.

La génération actuelle de parents est le produit d'une époque où la mode voulait que l'on donne aux enfants une pleine et entière liberté afin de favoriser leur épanouissement. On sait aujourd'hui qu'un encadrement disciplinaire souple, juste, ouvert, placé sous le signe de la communication, et motivé par l'amour réciproque, constitue l'environnement de croissance et de développement idéal.

Trois objectifs :

La discipline qu'il faut imposer aux enfants a trois buts :

- donner des points de repère pour que l'enfant apprenne les règles de comportement;

- sécuriser l'enfant avec des limites claires entre ce qui est permis et ce qui ne l'est pas, ce qui lui permet d'agir sans crainte de réprimande ou d'apprendre à ne pas agir quand il comprend que les limites fixées vont être dépassées;

- établir clairement que les décisions des parents passent avant les décisions de l'enfant.

Des trucs

La plupart des adultes, tout comme la plupart des enfants, aiment les habitudes. Ainsi, on peut inculquer la discipline à un enfant en respectant des habitudes, dans certains cas même, des rituels.

On va donc discipliner l'enfant en lui donnant des indications claires, telles

que « Maintenant, tu peux jouer », « C'est l'heure du bain »,
« On va souper dans cinq minutes, va laver tes mains, etc. »
Bientôt, on n'aura plus besoin de répéter ces indications : le
simple avertissement « On va souper! » va suffire pour que
le jeu soit mis de côté et les mains lavées spontanément.

Les repas

L'heure du repas est un moment fertile en occasions d'imposer une discipline avec tendresse et fermeté. Dictez des
règles de conduite qui vous permettront d'emmener vos
enfants en visite chez votre belle-mère sans que vous
soyez mal à l'aise. Par exemple, l'enfant doit rester à sa
place pendant le repas. Si c'est trop difficile pour lui,
au début, prenez le prétexte de lui demander d'aller
chercher le lait que vous avez « oublié » dans le réfrigérateur. Profitez du repas pour inculquer des habitudes de
saine alimentation, sans toutefois obliger l'enfant à finir

Cherchez à prendre les repas en famille le plus souvent possible et profitez-en pour permettre à votre enfant de participer à la conversation. Apprenez-lui que chacun a le droit de parler à son tour. Évitez les controverses et les querelles; les repas doivent être des moments harmonieux.

tout ce qui est dans son assiette, mais en expliquant que le gaspillage n'est pas toléré.

Profitez des repas pour faire découvrir de nouvelles saveurs à votre enfant, mais ayez toujours soin d'avoir sur la table des aliments qu'il aime. Au cas où l'expérience de dégustation s'avérerait négative, ne forcez pas votre enfant; il a le droit de ne pas aimer les épinards. Il suffira qu'il mange plutôt un peu plus de purée, mais ne lui donnez pas un repas spécial et improvisé. Faites-lui goûter aux épinards à nouveau dans six mois : les goûts changent.

Le repas familial est le moment privilégié de la vie de famille. C'est en même temps un processus d'apprentissage tout naturel et un véritable forum pour la communication spontanée. Ne laissez pas la télévision gâcher cela!

La télévision!

Durant la journée, ou du moins durant les heures de la journée passées à la maison, quelques activités guidées permettent aussi d'inculquer la discipline en douceur.

Ne laissez pas l'enfant se débrouiller tout seul tout au long de la journée (et n'utilisez pas la télévision comme gardienne). Prévoyez des activités : aller au parc, faire les courses, inviter des amis à la maison.

Les éducateurs estiment unanimement qu'une heure par jour d'émissions éducatives (qui offrent un apprentissage), c'est assez. Le reste, l'enfant n'en a aucun besoin. Il n'a surtout pas besoin de la violence télévisuelle (pratiquement omniprésente dans les dessins animés, voyez par vous-mêmes).

Pour que l'enfant apprenne à participer aux travaux ménagers, on lui donne sa part, ne serait-ce que la responsabilité d'arroser une plante.

Ce que la télévision empêche votre enfant de faire:

- *apprendre à considérer l'information reçue avec un esprit critique;*
- *pratiquer des activités physiques;*
- *pratiquer la coordination œil-main;*
- *se servir de deux sens à la fois pour mieux percevoir son environnement;*
- *poser des questions et recevoir des réponses;*
- *explorer et utiliser sa curiosité;*
- *prendre des initiatives;*
- *se mesurer aux autres;*
- *résoudre des problèmes;*
- *réfléchir et analyser;*
- *faire travailler son imagination;*
- *communiquer;*
- *améliorer son langage;*
- *lire et écrire;*

- *être créatif et constructif;*
- *se concentrer;*
- *penser avec logique.*

Dr Miriam Stoppard
Stimulez le développement de votre enfant
©1996, Libre Expression, Montréal
(reproduit avec autorisation)

Le rituel du coucher

Il peut fort bien arriver que l'heure du coucher survienne en plein milieu d'un jeu très captivant. Si Papa et Maman s'impliquent pour créer un rituel du coucher qui constitue une expérience merveilleusement agréable se répétant chaque soir, vous n'aurez aucune difficulté à interrompre les activités du moment.

Ce rituel, c'est à vous et à votre enfant de l'inventer ensemble.

Prévoyez d'abord une heure approximative pour le coucher, à une demi-heure près. Attendez ensuite un instant propice pour le début du rituel.

L'enfant remplit d'eau fraîche le bol de son hamster ainsi que celui de Pitou et il leur souhaite bonne nuit. Il se couche et Maman ou Papa lui lit ou lui raconte une belle histoire. Si l'enfant ne s'est pas déjà endormi, le rituel se termine par un échange de gros becs.

Cette habitude du coucher, qui se déroule selon un plan établi, l'enfant va très vite l'apprendre, s'en souvenir et l'attendre avec plaisir.

Hamster, minou et responsabilités

Les animaux peuvent prendre part au développement de votre enfant; la zoothérapie, c'est le terme que l'on associe souvent aux bienfaits qu'apporte le contact des animaux domestiques aux personnes âgées. Qu'importe! Les enfants peuvent bénéficier eux aussi d'amis à quatre pattes ou à plumes.

Les avantages sont nombreux :

- l'enfant s'initie à l'amour inconditionnel : l'animal ne le juge pas et ne le punit pas...

- l'enfant peut se confier à son animal lorsqu'il a de la peine ou éprouve de la colère;

- l'enfant peut enseigner à l'animal un certain nombre de comportements, ce qui l'aide dans son propre apprentissage;

- l'enfant apprend à assumer des responsabilités, lorsqu'il comprend que l'animal dépend de lui;

- l'enfant peut diminuer son stress au contact de l'animal: c'est la zoothérapie;

- l'enfant découvre les différences sexuelles et prend contact avec le cycle de la vie et de la mort.

La supervision parentale est nécessaire, car l'enfant ne peut assumer seul la responsabilité d'un animal avant l'âge de huit ou dix ans. Par conséquent, avant d'adopter un animal, il faut y penser très sérieusement, car expédier le minou à la SPCA occasionne une séparation pénible pour l'enfant et cruelle pour l'animal.

Bien sûr, la collaboration de l'enfant à l'apprentissage de
la discipline n'est pas acquise d'avance, donc...

*Cette prise de
responsabilité est
un excellent moyen
d'inculquer à l'enfant
le sens de la discipline.*

VII. *Il va falloir punir l'enfant, c'est inévitable*

L'enfant a besoin de votre discipline et il faut imposer celle-ci avec doigté, sans dépasser les limites des capacités de l'enfant par rapport à son âge, et avec une tendre fermeté.

Alors, inévitablement, l'enfant va violer les règles que vous établissez, soit par inadvertance (parce qu'il a mal compris, qu'il a oublié, qu'il s'est trompé — n'oublions pas que c'est tout un apprentissage!), soit pour tester la détermination des parents et leur capacité à se faire respecter.

Il va donc falloir punir.

Si les parents ont une attitude trop indulgente, l'enfant n'apprendra pas à assumer la responsabilité de ses actes et il n'agira que selon son bon plaisir. Ce ne sera qu'un « enfant gâté ». Toutefois, si les parents sont trop sévères, l'enfant vivra l'anxiété de recevoir des châtiments à tout propos et pourra ainsi devenir inhibé et craintif.

La fessée n'est jamais une solution

La fessée, comme le châtiment corporel en général, n'enseigne rien à l'enfant. Au mieux, donner une fessée procure aux parents un répit temporaire. Au pire, la fessée crée chez l'enfant l'humiliation, le sentiment d'une atteinte à sa personne physique, le sentiment d'impuissance et la peur.

On peut faire mieux que de chercher à contrôler son enfant par la peur...

La fessée peut également libérer l'enfant de ses obligations : il fait un « mauvais coup », il « paie » en recevant une fessée, tout est effacé, et hop! on recommence jusqu'à la prochaine fessée. Ce qui fait dire aux parents : « Il l'a bien cherché! ». C'est le cercle infernal de l'impuissance des parents, il mine les relations familiales et peut engendrer la violence.

Corrélation entre la faute et la punition

Le principe de base de la punition, c'est qu'elle ne doit pas constituer une vengeance ni des représailles de la part des parents, mais pour avoir un effet éducatif, elle doit être une conséquence raisonnable et logique de la mauvaise conduite de l'enfant.

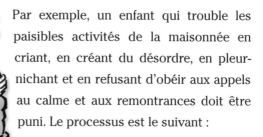

Par exemple, un enfant qui trouble les paisibles activités de la maisonnée en criant, en créant du désordre, en pleurnichant et en refusant d'obéir aux appels au calme et aux remontrances doit être puni. Le processus est le suivant :

- Expliquer la décision : « Ta manière de nous déranger sans raison est inacceptable, et tu refuses de m'écouter »;
- Passer aux actes : isoler l'enfant;
- Donner une consigne claire : « Tu reviendras quand tu seras calmé ».

L'enfant comprendra qu'en menant la vie dure aux autres membres de la famille, il s'exclut de ce cercle chaleureux. La leçon ne s'apprendra pas du jour au lendemain, mais petit à petit.

Il est inutile de chercher à raisonner avec un enfant trop occupé à crier et pleurer.

- Au retour de l'enfant, si nécessaire, on peut discuter avec lui (selon son âge) pour éclaircir les raisons de son comportement.

Mieux vaut attendre le retour au calme pour obtenir une explication; il n'est pas nécessaire non plus d'insister lourdement sur l'affaire et d'en discuter sans fin. Une mise au point suffit pour amener l'enfant à comprendre son comportement irrationnel et l'aider dans son apprentissage à se contrôler.

Les privations

La punition sous forme de privation de plaisir doit être logique. L'enfant qui trouble une soirée familiale ne peut pas être privé de l'usage de sa bicyclette pendant les trois jours suivants, ni privé de dessert le lendemain : la punition n'aurait aucun rapport avec l'incartade. Pour l'enfant, il s'agit de représailles et non de la conséquence de sa mauvaise conduite.

Par conséquent, la privation de télévision ne peut être justifiée que par des désobéissances relatives à la télévision, la privation de la compagnie des amies et amis ne peut être que la conséquence d'une transgression des règles fixées pour les jeux et activités avec les camarades.

L'enfant qui aime peindre et dont on admire les œuvres ne doit pas se voir interdire de peindre temporairement parce qu'un beau jour, fâché par un dessin raté, il a renversé sa peinture sur le tapis en balayant la table du revers de la main. On n'interdit pas des activités positives, sous peine de voir l'enfant s'en désintéresser, ce qui serait dommage. Mieux vaudra imposer une corvée de nettoyage ou de rangement, tout en réprimandant et en expliquant pourquoi la corvée est exigée (si nécessaire, après une période d'isolement pour le calmer).

Ne jamais priver de nourriture

On peut cependant priver l'enfant d'un plaisir relié à son comportement fautif à table : le plaisir d'un repas pris en famille. La solution est donc d'éloigner l'enfant. On le fait

La privation de nourriture (qui semblerait peut-être la punition logique pour un comportement inacceptable à table) ne doit jamais être utilisée. Par contre, on peut à l'occasion priver l'enfant de dessert ou de sucreries.

manger seul, mais dans la même pièce s'il est petit, ou dans une autre vers l'âge de cinq ans ou lorsqu'il est capable de manger sans aide.

Si le comportement de l'enfant à table est déplaisant jour après jour, c'est différent. Il y a une cause qu'il faut identifier, il ne s'agit pas d'un événement isolé et fortuit.

Les causes

Lorsque votre enfant refuse systématiquement de se conformer à la discipline raisonnable que vous tentez d'imposer avec tendresse et fermeté, c'est qu'il y a une cause non apparente, et vous devez la trouver de façon à pouvoir régler le problème. En effet, les punitions logiques et raisonnables n'en viendront pas à bout; les fessées non plus, évidemment, ni les cris ou les menaces.

L'arrivée d'un nouveau bébé, un deuil, un changement de gardienne, en deux mots les facteurs de stress peuvent être à l'origine des comportements inacceptables.

Il faut étudier la situation et rechercher des conseils professionnels si on ne trouve pas de réponse ou si on ne voit pas comment on pourrait appliquer une solution efficace. Souvent, les facteurs qui causent les désordres de comportement sont temporaires, et en gérant la situation avec logique, on pourra atténuer les conséquences jusqu'à leur élimination.

Si rien ne semble fonctionner, c'est la relation familiale qui doit être examinée, ainsi que les événements dans la vie de l'enfant.

VIII. *Des êtres à part entière*

Les enfants sont des êtres à part entière, ne l'oublions jamais. Nous, les parents, nous sommes leurs guides et leurs modèles. C'est toute une responsabilité.

Les parents ont pour mission d'inculquer des comportements et des valeurs à leurs enfants, afin que ceux-ci puissent réaliser pleinement leur potentiel et s'intégrer harmonieusement à la société.

Ce n'est ni en distribuant des fessées ni en prenant la télévision comme gardienne qu'ils y parviendront.

Souvent, les parents auront de la difficulté à faire face à la situation.

Cependant, ils disposent d'un outil puissant : **la motivation de l'amour réciproque**. Cet amour viendra à bout de bien des faux-pas, échecs ou découragements.

Cela mis à part, il n'y a pas de recettes miracles.

Chaque enfant est différent

Il y a les enfants agités, mais aussi les enfants lents, les brillants qui, à deux ans, savent mieux manipuler le magnétoscope que vous; les naturellement agressifs dont on peut canaliser les impulsions si on y met l'effort ; et les enfants qui ont besoin d'aide et de soins particuliers.

Donnez aux enfants le temps de leur enfance. Respectez leur rythme d'apprentissage. Soyez persévérants et distribuez des becs sans compter.

Rappelons aussi que tous les enfants sont différents, tant en ce qui concerne leur personnalité qu'à l'égard du déroulement de leur développement. Il n'y a pas de modèle à suivre.

Les principales phases du développement de votre enfant

De deux à trois ans environ

Développement physique-moteur

- *Se déplace en tricycle;*
- *Monte et descend l'escalier;*
- *Bâtit une tour avec des blocs;*
- *Gribouille des cercles et des lignes;*
- *Court et donne des coups de pied;*
- *S'habille;*
- *Tient un verre... mais renverse souvent;*
- *Mange avec une cuillère.*

Développement intellectuel et langage
- *Prononce de courtes phrases;*
- *Comprend les concepts « dans », « sur », « sous »;*
- *Aime écouter des histoires;*
- *Connaît son nom et son sexe.*

Développement affectif et social
- *Aime se débrouiller tout seul;*
- *Aime plaire et recevoir des compliments;*
- *Teste les limites et tolérances de ses parents;*
- *Sait ce qu'il aime ou pas et le manifeste;*
- *Peut faire des caprices alimentaires.*

De trois à quatre ans environ
Développement physique-moteur
- *Enfile des perles;*
- *Attache ses boutons (mais pas ses lacets);*
- *Peut copier un cercle;*
- *Utilise des ciseaux;*
- *Court vite, peut sautiller;*
- *Utilise une fourchette;*
- *Peut tenir une tasse, pas l'anse.*

Développement intellectuel et langage

- *Connaît son âge;*
- *Commence à compter;*
- *Pose d'innombrables questions : « Pourquoi...? »;*
- *Raconte des histoires, récite des comptines;*
- *Comprend les concepts « grand » et « petit ».*

Développement affectif et social

- *Partage;*
- *Attend son tour;*
- *Joue avec d'autres enfants;*
- *Commence à distinguer le bien du mal;*
- *Est influencé par la télévision;*
- *Demande ses aliments préférés.*

De quatre à six ans environ

Développement physique-moteur

- *Joue à la balle, la fait rebondir;*
- *Marche à reculons;*
- *Saute à la corde;*
- *Dessine une maison;*
- *Utilise un couteau et une fourchette.*

Développement intellectuel et langage

- *Aime jouer des rôles, faire semblant;*
- *Commence à distinguer le réel de l'imaginaire;*
- *Essaie de résoudre des problèmes;*
- *Sait compter;*
- *Peut se rappeler des événements dans l'ordre chronologique;*
- *Pose des questions :*
  « Comment... ? »,
  « Qu'est-ce que... ? »
  et « Pourquoi... ? ».

Développement affectif et social
- *Aime aider (mettre la table, etc.);*
- *Comprend des règles et les observe;*
- *Est fier de ses accomplissements;*
- *Demande de l'attention;*
- *Joue à des jeux plus complexes;*
- *Peut avoir un ami imaginaire;*
- *À table, aime mieux parler que manger;*
- *Peut faire des caprices alimentaires.*

Tiré de : *Petit guide sur le bien-être des enfants*
© Société canadienne de pédiatrie, 1994
(Reproduit avec autorisation)

Maman, j'ai bobo!

Votre enfant ne se sent pas très bien, c'est visible. Il est deux heures du matin. Il pleure à chaudes larmes, ou bien il se lamente faiblement.

Pas de panique!

Vous disposez d'un grand nombre de ressources.

Chapitre

2

La santé

Préface

La science médicale évolue à grands pas. Certaines maladies sérieuses, telle la variole, ont été éliminées de la surface de la terre; d'autres maladies graves comme la leucémie sont de plus en plus tenues en échec.

Malheureusement, les « petites » maladies de la vie de tous les jours sont persistantes et demeurent tout aussi fréquentes qu'avant. On n'a qu'à voir la salle d'attente de l'urgence de l'Hôpital Sainte-Justine, un samedi soir, pour s'en convaincre! Les grands budgets pour la recherche sont voués à la lutte au cancer et non au rhume. Il faut donc s'attendre à devoir vivre encore quelques années avec le rhume, la gastro-entérite ou l'otite...

Parfois, ces banales infections, qui sont souvent accompagnées de forte fièvre, nous font paniquer, en tant que parents. Nous n'avons pas toujours les outils nécessaires, ni l'expérience de nos grand-mères aux familles nombreuses pour diagnostiquer telle ou telle maladie contagieuse ou déceler si la fièvre est d'origine sérieuse ou non.

Nous espérons que ce chapitre sera pour vous un outil de première ligne qui vous permettra de reconnaître de façon simple les maladies les plus courantes ou le degré de gravité de l'état de votre enfant. Nous souhaitons pouvoir ainsi vous aider à éviter d'interminables heures d'attente en salle d'urgence. De plus, vous verrez que plusieurs maladies courantes de l'enfance ne nécessitent pas de traitements sophistiqués.

Enfin, ce chapitre vous donnera des conseils appropriés ou vous indiquera quand il est nécessaire de consulter un médecin.

Louis Geoffroy, m.d.
Pédiatre-urgentologue
Hôpital Sainte-Justine
Montréal

Introduction

Lorsqu'un enfant tombe malade, souvent les symptômes sont très accentués. La fièvre peut atteindre des niveaux effarants, qu'un adulte aurait peine à supporter. À cela s'ajoute la difficulté que l'on éprouve à communiquer avec l'enfant — parce qu'il manque de moyens d'expression et que, de surcroît, il est effrayé par ce qui lui arrive.

Chez les parents naît alors un sentiment d'impuissance. On aimerait mieux souffrir soi-même que de voir notre bout de chou malade...

Pourtant, en ayant sous la main quelques informations de base, les parents peuvent rapidement se rassurer et prendre les mesures qui s'imposent, en attendant de l'aide professionnelle, si elle est requise.

Souvent, rien ne sert de courir à l'urgence et d'attendre pendant des heures.

Il n'est pas question ici de proposer aux parents de devenir des pédiatres improvisés. Il s'agit plutôt d'apprendre à reconnaître certains symptômes courants, à poser quelques gestes qui soulageront l'enfant et à s'adresser avec discernement aux nombreuses ressources disponibles en matière de santé des enfants.

Avant d'aller à l'urgence, consultez ce guide et même un ouvrage spécialisé plus complet, appelez la ligne Info-Santé de votre CLSC (voir la liste en page 240) et consultez directement votre médecin qui pourra vous proposer des solutions et, si besoin est, vous aiguiller vers un spécialiste. D'autres professionnels de la santé, comme votre pharmacien, peuvent vous aider aussi efficacement.

Les pages qui suivent sont conçues pour vous rassurer et pour vous aider à mieux observer votre enfant et ses malaises, afin que vous puissiez répondre clairement aux questions de la professionnelle ou du professionnel de la santé que vous allez peut-être consulter.

Maintenant que votre enfant a deux ans ou plus, vous avez déjà acquis assez d'expérience pour ne pas paniquer. Vous savez aussi combien les enfants récupèrent vite. Votre fils a passé une nuit d'enfer (et vous aussi), avec une forte fièvre; puis, après une médication appropriée et quelques heures de sommeil, le voilà en pleine forme comme si de rien n'était, tandis que vous, vous avez les yeux cernés!

En de bonnes mains

Le pédiatre de votre enfant est la clé de sa santé. Respectez les rendez-vous fixés par le pédiatre, même si votre enfant se porte très bien, et n'hésitez pas à le consulter en cas d'incertitude.

Si vous avez des questions sur les médicaments et leurs effets, interrogez votre pharmacienne ou pharmacien.

Vous avez accès en tout temps à un réseau bien structuré et facilement accessible de professionnels de la santé. Toutes ces personnes n'ont qu'une chose à cœur : le bien-être de votre enfant.

Elles ont toutes été rigoureusement formées pour maîtriser leurs domaines respectifs d'expertise.

Vous pouvez sans inquiétude suivre leurs recommandations, leurs conseils et leurs ordonnances.

Les méthodes qu'utilisent tous les professionnels de la santé, les médicaments qu'elles et ils prescrivent sont éprouvés par des années d'études, de recherches et de résultats concluants, scientifiquement observés et prouvés. Votre enfant ne mérite pas d'être « soigné » par des théories, des ondes, des auras, des incantations, ni des herbes ou des cristaux. Votre enfant vaut plus que cela. Ne prenez pas de risques.

La vaccination

Par ailleurs, la vaccination est la meilleure mesure préventive contre la maladie. Le rôle du vaccin est de stimuler le système immunitaire et il incite l'organisme à produire des anticorps spécifiques. Sans stimulation, le système immunitaire ne se développera pas. Il est préférable de stimuler le système immunitaire par la vaccination plutôt que d'attendre que survienne une maladie, qui mettra environ sept jours à susciter les anticorps qui vont la combattre.

Les vaccins sont administrés aux enfants à différents âges, de deux mois à seize ans. Parlez-en à votre pédiatre.

Vérifiez la fiche d'immunisation de votre enfant.

L'enfant qui est enjoué et actif n'est généralement pas sérieusement malade.

Identifiez les signes de maladie

Le meilleur indice qu'un enfant ne se sent pas bien, c'est son comportement.

Les changements de comportement à surveiller sont les suivants :

- somnolence;
- manque d'intérêt;
- irritabilité;
- pleurs inhabituels;
- respiration rapide;
- éruption cutanée ou fièvre;
- sensibilité ou douleur au toucher;
- difficulté à avaler.

On surveille également les signes physiques suivants :

- nez qui coule, toux;
- vomissements;
- diarrhée.

I. *Les maladies contagieuses*

Les maladies contagieuses des enfants sont souvent très courantes. Il s'agit de microbes ou de parasites qui envahissent l'organisme et peuvent se propager d'un sujet à un autre et même se communiquer aux adultes. Toutefois, on peut prévenir la plupart de ces maladies par l'hygiène ou par la vaccination.

Les maladies contagieuses courantes

Les maladies contagieuses les plus courantes sont :

- la coqueluche;
- les oreillons;
- la scarlatine;
- la varicelle;
- la cinquième maladie.

Dès qu'un enfant modifie son comportement en affichant un manque d'entrain inhabituel, il faut vérifier si des symptômes d'infection sont présents, soit principalement :

- fièvre (utiliser un thermomètre rectal);
- écoulement nasal;
- perte d'appétit;
- frissons;
- mal de gorge;
- vomissements;
- toux;
- éruption cutanée.

En cas de doute, on peut en parler à son pharmacien, qui indiquera aux parents s'il vaut mieux consulter un médecin.

La coqueluche

Symptômes	*Durée*
Au début, ressemble à un rhume, puis la toux devient très importante et va jusqu'à l'étouffement; beaucoup de bruit inspiratoire caractéristique (chant du coq) à la fin de la quinte de toux; fièvre, écoulement nasal.	Six à dix semaines. Contagieuse pendant cinq à sept jours à compter du début du traitement ou pendant deux à trois semaines si non traitée.

Prévention	Traitement
Le vaccin est efficace à 80 % environ.	Il faut consulter un médecin.

Antibiotiques (destinés à contrer la contagion), repos, beaucoup de liquides. |

Les oreillons

Symptômes	*Durée*
Ils risquent de passer inaperçus. Légère fièvre; douleur et gonflement des glandes salivaires (de chaque côté et en avant des oreilles) quand l'enfant avale.	De 14 à 21 jours. Contagieuse pendant neuf jours environ.

Prévention	Traitement
Le vaccin est efficace à plus de 95 %.	Il faut consulter un médecin.
	Aliments mous et non acides si douleur pour avaler.
	Analgésique contre la fièvre.

La scarlatine

Symptômes	Durée
Fièvre parfois élevée, maux de gorge, nausées et vomissements, éruptions sur plusieurs parties du corps (thorax, aisselles, aines) suivies de desquamation (comme après un coup de soleil).	De un à cinq jours. La contagion cesse 24 heures après le début du traitement.

Prévention	Traitement
Il n'existe pas de vaccin.	Antibiotique oral. Repos, boire plus de liquides, diète molle et froide. Négliger un traitement médical peut entraîner des complications.

La varicelle

Symptômes	Durée
Légère fièvre, éruption généralisée de petites cloches d'eau (d'abord au tronc puis s'étendant au reste du corps); démangeaisons.	De 14 à 21 jours. La contagion cesse au moment où les lésions deviennent croûteuses.

Prévention	Traitement
Il n'y a pas de vaccin.	La lotion de calamine (ne contenant pas de bénadryl) calme les démangeaisons. Éviter l'aspirine qui entraîne des risques de complications.

La cinquième maladie

Symptômes	*Durée*
L'enfant n'a pas un comportement de malade ; peu ou pas de fièvre ; les joues rouges ; sur les bras, aux cuisses et aux fesses, une irritation qui prend l'aspect de légers serpentins rouges entrelacés.	Quelques semaines.

Prévention	Traitement
Il n'existe pas de moyen de prévention pour cette maladie bénigne, d'origine virale.	Ça passe tout seul; les enfants ne sont pas contagieux; il n'y a pas de complications.

II. *Autres maladies*

Mises à part ces maladies contagieuses « classiques », qui touchent de nombreux enfants, il y a d'autres maladies que l'on retrouve fréquemment chez les deux à six ans :

- l'impétigo;
- l'otite;
- la gastro-entérite;
- les maux de ventre (diarrhée, vomissements);
- les problèmes respiratoires (y compris l'asthme);
- les allergies (ce ne sont pas des maladies à proprement parler).

L'impétigo

Symptômes	Durée
Apparition de cloches d'eau qui grossissent et se percent ou apparition d'une croûte couleur miel qui s'étend. Non douloureux.	Contagion par contact; les enfants doivent être isolés pendant les 24 heures qui suivent le début du traitement.

Prévention	Traitement
Il n'y a pas de vaccin. Une bonne hygiène est la meilleure prévention contre la contamination, surtout en été durant les chaleurs humides.	Il faut consulter un médecin. Traitement par antibiotiques. Les complications sont rares.

L'otite

Symptômes	Durée
Douleur dans l'oreille (l'oreille peut couler), pleurs, diminution de l'appétit, fièvre.	Traitement de cinq à dix jours; la fréquence des otites diminue après l'âge de trois ans.

Prévention	Traitement
L'otite, sans être elle-même contagieuse, est souvent une complication du rhume ou de la grippe; éviter l'exposition aux infections respiratoires contagieuses (à la garderie par exemple).	Il faut consulter un médecin. Antibiotiques pendant une dizaine de jours, pour éviter les complications comme la mastoïdite, l'atteinte chronique des tympans et, éventuellement, la méningite.

La gastro-entérite

Symptômes	Durée
Diarrhée et vomissements, souvent accompagnés de fièvre.	Les symptômes durent en moyenne de trois à cinq jours.

Prévention	*Traitement*
La gastro-entérite apparaît quand on ne s'y attend pas. C'est un virus sans danger, à condition d'éviter la déshydratation.	Donner souvent de petites quantités de liquide, soit une cuillerée à soupe aux cinq minutes; puis augmenter graduellement les quantités et les intervalles. Un truc : si les solutions, tel le pédialyte, ne sont pas les bienvenues, donnez du Gatorade!

Les maux de ventre

Chez l'enfant, les maux de ventre peuvent être tout simplement dus à des gaz ou à une consommation excessive de fruits par exemple. Toutefois, les maux de ventre peuvent signaler ou accompagner d'autres problèmes; il faut donc demeurer attentif.

Parmi ces problèmes potentiels, notons :

- *l'appendicite (douleur située en bas et à droite du ventre, limitée à une zone bien précise);*
- *l'anxiété (causée par le stress, la fatigue, le changement d'environnement, etc.);*
- *l'hépatite (qui peut débuter par des maux de ventre reliés à la sensibilisation du foie et par de la fièvre);*
- *la migraine (qui peut aussi s'accompagner de troubles digestifs et visuels, de comportements grincheux et irrités);*
- *la présence d'un parasite intestinal (ascaris, lamblias);*
- *la pneumonie (généralement démontrée en même temps par le toussottement, le point de côté, la fièvre, les maux de tête, les vomissements);*

- *le purpura rhumatoïde (surtout caractérisé par des ecchymoses sur les pieds, les chevilles et les jambes);*

Toutefois, si on suspecte une appendicite, il ne faut donner aucune nourriture ni breuvage et, bien sûr, consulter un médecin immédiatement.

Les vomissements

Lorsque les maux de ventre sont accompagnés de vomissements, il est préférable de consulter un médecin, puisqu'il existe une possibilité d'appendicite ou d'hernie étranglée.

En cas de vomissements survenant en même temps qu'une diarrhée importante, et surtout si la fièvre se manifeste aussi, il faut être très attentif à prévenir la déshydratation. On est probablement en présence d'une gastro-entérite virale qui, généralement, guérira en quelques jours.

Il peut arriver que les accès de toux entraînent des vomissements (sans grande importance, pourvu que l'enfant garde quand même assez de liquide). Les infections peuvent aussi provoquer des vomissements, y compris les cas de grippe et d'otite. Enfin, le simple mal des transports (auto, avion, bateau) va se traduire par des vomissements, tout comme les excès de chocolat à Pâques!

Les vomissements provoqués relèvent des troubles du comportement : certains enfants parviennent à se faire vomir lorsqu'ils sont contrariés, dans le but d'exercer une sorte de chantage sur leurs parents...

On traite les vomissements en interrompant l'alimentation solide et en donnant à l'enfant des liquides, en petites quantités et à intervalles rapprochés.

La diarrhée

Il s'agit bien de l'émission de selles franchement liquides de façon inhabituellement fréquente.

La diarrhée est un malfonctionnement des cellules de la muqueuse intestinale. L'enfant perd alors beaucoup d'eau et de sels minéraux essentiels, qui doivent être remplacés afin d'éviter le danger de la déshydratation. L'altération de la muqueuse empêche la digestion normale pendant plusieurs jours; l'enfant doit donc suivre une diète alimentaire temporaire.

Pour le traitement, les médicaments sont généralement inutiles. Il suffit de prendre trois précautions pendant quelques jours :

1. Pour ne pas aggraver la diarrhée, éviter les jus de fruits purs : il faut les diluer à parts égales avec de l'eau; le lait n'est pas contre-indiqué, à moins de diarrhées sévères.

2. Compenser les pertes déshydratantes de la diarrhée par des breuvages; votre pharmacien vous indiquera quels breuvages comprenant les sels minéraux et éléments énergétiques requis sont les mieux appropriés.

3. Revenir à l'alimentation habituelle dans les 24 heures, en donnant de petites portions plusieurs fois par jour.

Comme on l'a vu, la diarrhée peut accompagner une autre maladie et, lorsqu'on soigne celle-ci, la diarrhée cesse elle aussi.

Les problèmes respiratoires

L'asthme

C'est le problème respiratoire le plus répandu chez les enfants. Toutefois, il disparaît généralement à l'âge de la puberté.

Il s'agit d'un rétrécissement épisodique des bronches. C'est ce qui provoque les crises d'asthme. L'enfant éprouve des difficultés à respirer, il émet un sifflement caractéristique et son pouls s'accélère. L'air froid, l'exercice, les allergies, la fumée de cigarette et les infections peuvent déclencher des crises d'asthme.

Il faut consulter un médecin, éliminer les facteurs d'allergies (comme les animaux domestiques) et la fumée du tabac, et se présenter à l'urgence du CLSC ou de l'hôpital en cas de crise aiguë.

L'asthme peut aussi être causé par un virus (bronchite asthmatique virale), ou par certains médicaments comme l'aspirine et les anti-inflammatoires. Consultez toujours votre pharmacien si vous devez administrer ces médicaments à votre enfant.

Souvent, une radiographie pulmonaire permettra de vérifier s'il n'y a pas une autre affection pulmonaire associée
au phénomène de l'asthme, et le médecin pourra aussi
procéder à des tests d'allergie. Il lui arrivera de prescrire
un médicament par aérosol (une « pompe ») ou des com-
primés.

Le rhume

L'autre problème respiratoire très commun, c'est la rhinite, c'est-à-dire le simple rhume. Un ou plusieurs des
symptômes suivants apparaissent :

- écoulement nasal;
- enrouement;
- congestion des voies respiratoires (bronchite).

Le rhume peut entraîner des complications
comme la sinusite et l'infection bactérienne
de l'oreille moyenne.

Il est recommandé de :
- boire abondamment;
- se reposer pour aider l'organisme à combattre le rhume;
- prendre un médicament contre la fièvre et les douleurs musculaires;
- veiller à ce que l'air ambiant soit suffisamment humide.

Vérifiez auprès de votre pharmacien quels médicaments utiliser. Si le rhume se prolonge, il vaudra mieux consulter un médecin qui pourra prescrire des antibiotiques afin d'éviter les complications.

La toux

C'est le signe le plus fréquent des affections de l'appareil respiratoire. Elle peut être provoquée par une inflammation, une infection ou la présence d'un corps étranger. En toussant, on expulse en fines gouttelettes les germes responsables de maladies : on est alors contagieux.

En cas de toux, il y a trois erreurs à éviter :

1. *négliger la toux, considérée à tort comme normale, et omettre ainsi d'en comprendre la raison et d'apporter les soins appropriés;*

2. *supprimer la toux par des médicaments antitussifs, car la toux est le procédé normal de nettoyage des bronches, donc en l'empêchant, on peut aggraver l'état du malade;*

3. *oublier que la toux peut être contaminante : c'est une excellente occasion d'apprendre à l'enfant comment prendre des mesures d'hygiène.*

Le pharmacien sera votre précieux conseiller quant aux façons de combattre la toux et il pourra vous indiquer si une consultation médicale est recommandée.

La pneumonie

Elle fait aussi partie des maladies respiratoires. Il faut la prendre très au sérieux et consulter un médecin sans tarder; ce dernier commencera probablement par ordonner une radiographie des poumons. Les principaux symptômes sont la fièvre, les frissons, la difficulté à respirer et une toux parfois douloureuse.

La bronchite

La bronchite, qui est une inflammation de la trachée et des bronches, peut être causée par :

- un virus; l'enfant tousse, sa gorge est rouge, il se mouche et fait un peu de fièvre;

- une allergie; l'enfant tousse, sa respiration peut siffler, la crise d'asthme peut se déclencher;

- une « agression » physique, comme la fumée du tabac, un air ambiant trop sec ou un corps étranger, soit par exemple une parcelle d'aliment « avalée de travers » qui entraîne une petite inflammation des bronches.

Demandez l'avis de votre pharmacien ou présentez-vous à votre CLSC pour un traitement ou pour savoir s'il vaut mieux consulter un médecin.

La laryngite

Elle peut accompagner le rhume. Il s'agit d'une inflammation de l'organe responsable de la parole, qui gonfle et gêne ainsi la respiration de l'enfant quand il aspire (contrairement à l'asthme qui entraîne la difficulté à expirer). La laryngite fait tousser, une toux caractéristique rauque et ressemblant à un aboiement!

Les allergies

L'allergie n'est pas vraiment une maladie, c'est plutôt une intolérance de l'organisme à divers facteurs extérieurs. Cette hypersensibilité peut se manifester plus ou moins brutalement sur les voies respiratoires, la peau, le tube digestif ou tout autre organe sensible.

Les allergies respiratoires causent l'asthme, la trachéite, le rhume des foins ou des infections à répétition des voies respiratoires.

Elles sont déclenchées par la poussière (dans la maison), les pollens (surtout après l'âge de six ans), les plumes et poils des animaux (y compris les articles fabriqués avec des plumes ou des poils, comme les oreillers, certains tissus), des champignons microscopiques (moisissures d'humidité).

Les allergies digestives ou alimentaires provoquent des diarrhées, des vomissements et, plus rarement, un état de choc qui peut même être mortel. Les aliments le plus fréquemment en cause sont les produits laitiers, le blanc d'œuf, les poissons et fruits de mer, certains aliments à base de céréales, des légumes (comme le céleri, la tomate), les noix, le chocolat, les fruits (fraises, pêches, bananes, etc.)

Les autres allergènes comprennent certains médicaments (l'aspirine, les dérivés de la pénicilline), les venins (piqûres de guêpes, abeilles, etc.), et les allergènes de contact comme certains onguents, des produits ménagers (savon à lessive, assouplissants, etc.), les textiles synthétiques, les plantes, les parfums, etc.

Dans le cas du rhume des foins, il faut noter que les symptômes de rhinite peuvent s'accompagner de conjonctivite (picotements oculaires, larmoiement et yeux rouges), et même d'une otite moyenne ou de sinusite.

Attention aux aliments!

Les enfants allergiques aux pollens de bouleau pourront présenter des symptômes comme des picotements de la bouche et une légère enflure des lèvres, de la bouche ou de la gorge, pendant 15 à 30 minutes suivant la consommation de fruits crus : pommes, pêches, poires, cerises, prunes.

Ceux qui sont allergiques à l'herbe à poux peuvent réagir semblablement après avoir mangé du melon, une banane ou du concombre.

Une fois que la cause de l'allergie est identifiée, il faut au maximum éviter son contact; c'est là le meilleur des traitements.

Par contre, quand les réactions d'allergie apparaissent après la consommation d'autres aliments comme les arachides, les légumineuses, les fruits de mer, le lait et les œufs, il faut s'en préoccuper car cela pourrait fort bien être le prélude à une réaction beaucoup plus sévère dans l'avenir.

Dans les cas d'allergie sévère due aux aliments, aux médicaments ou aux piqûres d'insectes, le médecin recommandera que la personne atteinte ait sous la main une trousse d'urgence contenant de l'adrénaline prête à injecter, en cas de consommation accidentelle de l'aliment causant la réaction allergique.

Si vous croyez que votre enfant souffre d'allergie, demandez conseil à votre pharmacien et parlez-en à votre pédiatre lors de la prochaine consultation.

III. *Les maladies parasitaires*

Elles sont l'action de parasites, soit de microscopiques insectes ou des vers, etc., qui établissent leur résidence dans l'organisme de l'enfant.

Les trois principales maladies parasitaires sont l'oxyurose (vers intestinaux), la pédiculose (infestation de poux) et la gale (insecte vivant sous l'épiderme et causant des lésions).

Dans chaque cas, ce sont des maladies très contagieuses, qui exigent des soins particuliers pour que l'on parvienne à s'en défaire.

L'oxyurose

Le parasite est un petit ver blanc d'un centimètre qui vit dans l'intestin. Il pond des œufs au niveau de l'anus, ce qui provoque des démangeaisons. La contamination se fait d'un enfant à l'autre, par les mains sales et par auto-infestation : l'enfant se gratte puis porte les doigts à sa bouche...

Souvent l'oxyurose passe inaperçue; sinon elle provoque des démangeaisons (éventuellement une vulvite chez les petites filles).

De toute manière, on constate la présence de l'oxyurose par l'apparition de petits vers blancs et ronds dans les selles.

Le traitement n'est pas compliqué : il suffit d'administrer un vermifuge prescrit par le médecin. Néanmoins, cette maladie est tellement contagieuse qu'il faudra probablement traiter toute la famille! Et il faudra laver tous les draps, le linge et les vêtements le jour même du traitement, puis appliquer de strictes mesures d'hygiène.

La pédiculose

Il s'agit de l'invasion, dans la chevelure des enfants, du désagréable *pediculus humanus var capitis,* le pou de tête que votre enfant pourra rapporter un jour de la garderie ou de la maternelle.

L'infestation se produit par contact direct ou indirect (peigne, tuque, foulard).

On constate la présence des poux quand on les voit bouger dans la chevelure et que l'on aperçoit les lentes (les œufs) fixées à la racine des cheveux.

Shampooings, lotions, crèmes, aérosols sont disponibles pour venir à bout des poux sans problème. Consultez votre pharmacien pour faire le bon choix. Comme le pou ne vit que dans la chevelure, il n'est pas nécessaire de désinfecter les peignes ou les vêtements.

Toutefois, si vous pensez que votre enfant a attrapé des poux à la garderie, avisez les responsables immédiatement (elles ou ils n'apprécieront guère la nouvelle, mais c'est nécessaire), afin que tous les parents examinent leurs enfants. En effet, la meilleure prévention consiste en l'examen minutieux et régulier du cuir chevelu, les traitements n'étant pas préventifs.

La pédiculose est parfois causée par une hygiène déficiente et des cheveux longs, mais les enfants tout propres et aux cheveux courts peuvent très bien attraper des poux... et les adultes aussi!

La gale

La gale est l'œuvre d'un autre hôte indésirable, l'insecte microscopique *sarcoptes scabiei*, qui s'introduit sous l'épiderme. Attirée par la chaleur et l'odeur du corps humain, la femelle, une fois fécondée, se creuse un tunnel sous l'épiderme et commence à pondre ses œufs, à raison de deux ou trois par jour, en sécrétant une substance toxique et allergène qui cause des démangeaisons insupportables et des éruptions cutanées.

La maladie est très contagieuse et peut se propager rapidement au contact direct d'une personne à l'autre, lorsqu'on partage le même lit, qu'on échange des vêtements et qu'on utilise le même linge de toilette.

Il est difficile de diagnostiquer la gale au simple coup d'œil, et on conseille de consulter un dermatologiste. Il est relativement facile de se débarrasser du parasite responsable de la gale. L'entourage de la personne atteinte doit être traité aussi. Il faut laver les vêtements, les draps et le linge à l'eau très chaude, et passer l'aspirateur partout dans l'appartement ou la maison et se débarrasser immédiatement du sac à poussières.

IV. *Les malaises*

Même les enfants normalement en parfaite santé peuvent, selon les circonstances, éprouver des malaises plus ou moins aigus, qu'il s'agisse d'un simple coup de soleil ou de convulsions fébriles. Certaines maladies, par ailleurs, sont latentes, comme l'asthme ou l'épilepsie, et ne se manifestent que par des malaises qui prennent la forme de crises épisodiques, au moment où on s'y attend le moins, bien sûr.

Il faut donc se préparer à faire face à des situations qui troublent le bien-être de votre enfant.

La fièvre

De nombreuses maladies, infectieuses, contagieuses ou non, entraînent de la fièvre. La température normale du corps (idéalement mesurée par un thermomètre rectal) se situe entre 36,5 °C et 37,5 °C. Quand la température dépasse 38 °C, c'est l'apparition de la fièvre, accompagnée de la chair de poule, de frissons et d'une accélération du pouls.

Les enfants ont souvent une température élevée, mais leur fièvre disparaît généralement très vite.

Conseils en cas de fièvre

- *Boire beaucoup de liquide, éviter les vêtements chauds, aérer la pièce.*
- *Contrôlez la température matin et soir.*

- *Entre 38 ºC et 39,5 ºC, consultez votre pharmacien ou votre CLSC (ligne Info-Santé, page 238).*

- *Si l'état général de l'enfant vous semble visiblement modifié, ou si la fièvre persiste pendant plus de trois jours, consultez le médecin.*

- *Si la température dépasse 39,5 ºC, consultez un médecin et vérifiez si d'autres symptômes sont présents : raideur de la nuque, étourdissements, douleurs abdominales ou difficulté à respirer ou à avaler.*

- *Il faut savoir que le degré élevé de fièvre n'est pas un indicateur de la gravité de la maladie, surtout chez les enfants de plus de trois ans.*

- *Lorsqu'on cherche à faire baisser la température de l'enfant, c'est pour le rendre plus confortable et le soulager.*

- *Il n'est pas du tout recommandé de donner à l'enfant un bain froid.*

- *On ne doit pas non plus frictionner l'enfant à l'alcool.*

- *En soi, la température, ce n'est rien de grave.*

La chaleur et le soleil

Le coup de soleil est une inflammation de la peau provoquée par une exposition excessive au soleil. La peau devient rouge, cuisante et douloureuse.

Pour soigner le coup de soleil léger :

- *doucher à l'eau froide (si possible) pendant une dizaine de minutes;*

- *utiliser une crème vendue en pharmacie. Si le coup de soleil occasionne des enflures et des cloques, il s'agit d'une brûlure; il faut alors :*

  - *couvrir la surface brûlée d'un pansement sec et propre;*

  - *demander conseil à un intervenant de votre CLSC ou à votre pharmacien.*

Le mieux, c'est de prévenir les coups de soleil en employant une crème solaire appropriée. Votre pharmacien vous indiquera laquelle choisir.

L'épuisement par la chaleur peut se produire chez un enfant trop habillé et exposé à une chaleur extrême et humide. Sa respiration s'accélère, il ressent des étourdissements, une grande fatigue, des crampes musculaires et des nausées pouvant provoquer le vomissement. Au pire, l'enfant peut perdre connaissance.

Il faut étendre l'enfant dans un endroit frais, ôter le surplus de vêtements, lui faire boire de petites quantités d'eau. S'il y a évanouissement, demandez des secours médicaux.

Enfin, **le coup de chaleur** est un problème beaucoup plus sérieux. Il résulte de la surexposition à la chaleur humide, par exemple dans une pièce mal aérée. La peau devient rouge et chaude, le pouls est fort et rapide, et l'enfant éprouve des maux de tête, des étourdissements, de l'anxiété; il peut faire des convulsions et perdre connaissance.

En présence d'un coup de chaleur, il faut immédiatement appeler des secours, allonger la victime dans un endroit frais, l'asperger d'eau froide ou l'envelopper dans un drap mouillé d'eau froide et surveiller ses signes vitaux.

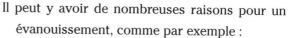

L'évanouissement

C'est une perte de conscience de courte durée, provoquée par une diminution de la quantité normale d'oxygène parvenant au cerveau.

Il peut y avoir de nombreuses raisons pour un évanouissement, comme par exemple :

- une intoxication;
- une douleur extrême;
- un état de choc;
- un stress;

- une atmosphère étouffante (locaux chauds et peu aérés);

- etc.

Dans cette situation, vous devez :

- *vérifier la respiration et le pouls;*

- *desserrer les vêtements de votre enfant;*

- *le coucher en position latérale (pour maintenir les voies respiratoires ouvertes), sauf en cas d'accident si vous suspectez une fracture;*

- *aérer la pièce;*

- *une fois l'enfant revenu à lui, l'encourager à exprimer ce qui lui est arrivé;*

- *si l'enfant ne revient pas à lui rapidement, appeler des secours médicaux.*

Les convulsions

Chez les enfants, des convulsions peuvent se produire à cause de la fièvre ou dans les cas d'épilepsie.

Deux à trois pour cent des enfants entre six mois et quatre ans font des convulsions à l'occasion d'accès de fièvre. Pour les parents, la convulsion fébrile paraît inquiétante. Mais elle n'est habituellement pas sérieuse et ne laisse pas de séquelles.

Lors d'une convulsion, l'enfant est saisi d'une série de contractions musculaires saccadées. Il a le corps rigide et arqué vers l'arrière. Sa respiration est difficile et il peut avoir de l'écume à la bouche.

Ce n'est pas le temps de paniquer :

- *éloignez tout objet proche de l'enfant afin qu'il ne se blesse pas lors de ses mouvements involontaires;*

- *ne tentez pas de restreindre ses mouvements;*

- *n'introduisez rien dans sa bouche;*

- *après l'arrêt des convulsions, desserrez ses vêtements et prenez les moyens pour faire tomber la fièvre.*

L'épilepsie

L'épilepsie est une maladie qui occasionne de temps à autre un malfonctionnement des minuscules courants électriques qui passent par les cellules du cerveau. Selon la partie du cerveau temporairement affectée, l'enfant épileptique va avoir des crises avec les symptômes suivants :

- étourdissement, confusion, irritabilité; l'enfant voit des taches et peut bouger ses bras et ses jambes sans s'en rendre compte ni avoir conscience de son entourage;

- raidissement des muscles ou secousses incontrôlables avec, éventuellement, des crampes d'estomac, des nausées, etc.;

- perte de connaissance soudaine et état de raideur; l'enfant se lamente ou crie, ce qui ne signifie pas qu'il souffre, puis il commence à trembler; cela dure environ deux à trois minutes qui paraissent très longues...

- « absence » de quelques secondes seulement; l'enfant s'arrête, le regard fixe, sans réaction, puis reprend ses activités, le plus souvent sans se rendre compte de ce qui lui est arrivé.

Si vous pensez que votre enfant est épileptique, parlez-en au médecin.

Le spectacle de convulsions épileptiques peut être terrifiant. Si vous êtes soudainement confronté à une crise d'épilepsie, voici quelques règles à suivre :

- *surtout, restez calme; ne quittez pas l'enfant;*
- *ne tentez pas de restreindre ses mouvements ni de le retenir;*
- *empêchez l'enfant de se faire mal, étendez-le délicatement sur le sol;*
- *placez l'enfant sur le côté, la tête penchée en avant pour faciliter sa respiration et l'évacuation de sa salive;*
- *détachez ses vêtements, retirez ses lunettes;*
- *n'introduisez **rien** dans sa bouche!*
- *si, pour vous, l'épilepsie de votre enfant est un fait nouveau, consultez le médecin immédiatement.*

V. *Accidents et prévention*

Vouloir protéger son enfant, c'est naturel. Après tout, les enfants n'ont pas vraiment conscience des dangers qui les entourent! Néanmoins, il faut veiller à leur donner assez de liberté pour jouer activement en plein air ou dans la maison, tout en exerçant une discrète surveillance.

Malheureusement, et c'est pratiquement inévitable, votre surveillance n'empêchera pas votre enfant de tomber d'une balançoire ou de sa bicyclette, de se faire piquer par une guêpe ou de recevoir un choc électrique en jouant avec un cordon électrique et ce, à votre insu.

Quand un accident se produit, ce n'est ni le moment de paniquer (votre enfant compte sur vous!), ni celui de faire un discours moralisateur. Passez à l'action!

Les brûlures

Chaque année, environ 1 500 personnes sont hospitalisées au Québec pour des brûlures, soit à la suite d'incendies, soit à cause d'accidents ménagers (bouilloires, réchauds à fondue, ustensiles de cuisine renversés).

Il y a trois degrés de gravité des brûlures :

Brûlure au premier degré :
Affecte la surface de la peau seulement; légère rougeur et enflure, douleur assez prononcée.

Brûlure au deuxième degré :
Affecte la peau plus profondément; rougeur, douleur vive et apparition d'ampoules.

Brûlure au troisième degré :
La peau est blanchâtre et lisse, ou cuivrée et carbonisée; aucune douleur, car les terminaisons nerveuses sont détruites; risque élevé d'infection.

En cas de <u>brûlure bénigne</u>

(1er et 2e degrés, limitée à une partie du corps) :

Ce qu'il <u>faut</u> faire :
- *immerger immédiatement la partie atteinte dans l'eau froide ou appliquer une compresse;*
- *enlever les vêtements qui peuvent frotter la région brûlée;*
- *appliquer un pansement non adhésif, stérile.*

Ce qu'il <u>ne faut pas</u> faire :
- *recouvrir la blessure de beurre, d'huile ou de graisse;*
- *appliquer un pansement adhésif;*
- *crever les ampoules;*
- *toucher la surface blessée;*
- *appliquer une lotion;*
- *enlever un vêtement qui est collé à la blessure.*

En cas de <u>brûlure grave,</u>

(du 2ᵉ ou 3ᵉ degré, sur une surface importante du corps),

Les brûlures ne sont pas toutes occasionnées par le feu.

Vous devez :

- *appeler immédiatement une ambulance ou transporter l'enfant à l'urgence;*
- *allonger l'enfant;*
- *surveiller la respiration;*
- *rassurer l'enfant.*

Des produits chimiques comme les acides ou l'ammoniaque peuvent brûler au contact de la peau, tant qu'on ne les a pas enlevés. Il faut donc immédiatement laver la région touchée avec de l'eau, pendant une quinzaine de minutes. Si la brûlure est grave, n'oubliez pas de dire au technicien ambulancier quel produit l'a causée.

Enfin, dans le cas de brûlures causées par un choc électrique, il faut toujours consulter un médecin sans tarder, car des lésions internes peuvent être invisibles ou des troubles cardiorespiratoires risquent de se développer.

L'électrocution

La gravité des chocs électriques dépend de la force du courant, de la durée de l'exposition et du degré de résistance des tissus affectés. Le corps est un très bon conducteur d'électricité et même un courant faible peut causer des blessures. Le principal danger, c'est que le courant entraîne un arrêt cardiaque, mais il peut aussi provoquer un spasme musculaire et des brûlures graves.

Ce que vous devez faire :
- *ne touchez jamais aux fils électriques qui ont causé le choc électrique; coupez d'abord le courant au disjoncteur;*

- *si cela n'est pas possible, déplacez l'enfant sans le toucher : isolez-vous du sol en marchant sur un tapis sec ou un journal, puis dégagez l'enfant de la source électrique en utilisant des gants ou un objet comme une chaise en bois ou une serviette sèche, un manche à balai, etc.;*

- *appelez des secours;*

- *si des fils d'Hydro-Québec sont brisés, appelez la compagnie au 1-800-790-2424.*

En cas d'électrocution à bas voltage (240 volts et moins), il n'y a pas de complications; l'incident est bénin, sauf :

- si l'enfant est mouillé;
- s'il reste agrippé à la source de courant;
- s'il perd connaissance.

Si, dans un accident grave, la victime n'a pu se détacher elle-même de la source de courant électrique jusqu'à ce qu'on l'aide, ou si le choc l'a projetée, c'est que le courant a traversé son corps.

L'enfant peut alors présenter des marques visibles, des troubles de conscience temporaires, des pertes de mémoire.

Il devra être placé sous observation pendant 24 heures pour surveiller toute défaillance de son rythme cardiaque. Dans les cas plus graves où la victime est inconsciente, pratiquez immédiatement la respiration artificielle.

L'entorse

Il suffit qu'un enfant soit pris dans la fièvre du jeu pour qu'il fasse un faux pas ou qu'il tombe d'une glissoire, et voilà, c'est l'entorse!

Une entorse (ou foulure prononcée) est un étirement ou une déchirure des ligaments d'une articulation, qui présente les mêmes symptômes qu'une fracture : forte douleur, enflure, coloration anormale de la peau, incapacité à mouvoir l'articulation touchée.

En cas d'entorse :

- *installez l'enfant dans une position confortable en élevant le membre blessé (la plupart des entorses surviennent aux chevilles et aux genoux);*
- *appliquez une compresse d'eau froide ou un sac de glace enveloppé dans une serviette;*
- *immobilisez le membre blessé à l'aide d'un bandage.*

S'il y a des doutes, une radiographie permettra de confirmer qu'il s'agit bien d'une entorse et non d'une fracture.

L'intoxication

Tout le monde possède un bon nombre de produits dangereux à la maison. Il n'est donc pas étonnant qu'il y ait chaque année, au Québec, plus de 45 000 cas d'intoxication dont la moitié concernent des enfants.

Les produits d'usage domestique sont responsables d'environ la moitié de ces cas : il s'agit le plus fréquemment d'ingurgitations de détergents, produits nettoyants pour le four, eau de Javel, peintures, décapants, etc.

Les médicaments, souvent présentés sous des couleurs très attrayantes, constituent une autre cause d'intoxication pour les enfants. Un grand nombre de ces intoxications se produisent lors de visites chez les grands-parents; soyez toujours vigilants.

Enfin, les intoxications alimentaires, moins fréquentes, résultent de la consommation d'aliments qui ont dépassé leur date de fraîcheur, sont altérés ou contaminés.

Attention aussi aux pesticides, qui peuvent causer de graves malaises s'ils sont avalés et, parfois même, s'ils viennent simplement en contact avec la peau. Il en va de même pour certaines plantes d'appartement (aloe vera, azalée, diffenbachia, lierre, plantes à bulbe, etc.).

L'ingestion de substances toxiques cause des nausées, des crampes abdominales, des vomissements, des maux de tête, éventuellement des étourdissements et de la somnolence.

> ***Voici les mesures à prendre :***
> - *si l'enfant est conscient, demandez-lui ce qu'il a avalé; sinon, regardez aux alentours pour savoir ce qui s'est passé;*
> - *appelez le Centre anti-poison du Québec; (1-800-463-5060)*
> - *ne le faites pas vomir si le produit avalé est corrosif (Drano, essence, savon);*
> - *si tel n'est pas le cas, on vous recommandera de donner du sirop d'ipéca (que chaque parent devrait avoir dans sa pharmacie) pour provoquer le vomissement;*
> - *de préférence, donnez de l'eau, car le lait pourrait aggraver la situation;*
> - *si la peau ou les yeux sont touchés, lavez à l'eau tiède;*
> - *s'il s'agit d'une intoxication par inhalation, amenez l'enfant respirer dehors;*
> - *si vous devez transporter votre enfant, allongez-le sur le côté, et non sur le dos.*

Pensez d'abord à prévenir les intoxications! Faites le tour de votre résidence, identifiez tous les produits potentiellement dangereux, et rangez-les de manière sécuritaire. Le tableau suivant vous aidera à lire les étiquettes d'avertissement.

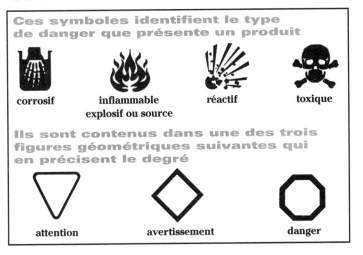

Ces symboles identifient le type de danger que présente un produit

corrosif   **inflammable explosif ou source**   **réactif**   **toxique**

Ils sont contenus dans une des trois figures géométriques suivantes qui en précisent le degré

attention   **avertissement**   **danger**

Entreposez tous vos médicaments en lieu sûr. Remplacez les plantes dangereuses par des espèces inoffensives, comme le ficus, la violette africaine, le gloxinia, etc.

La noyade

Piscines, lacs, cours d'eau : autant d'occasions de se noyer. Le bilan annuel au Québec : plus de 100 morts chaque année et presque autant d'hospitalisations. **Or, ce sont les enfants de quatre ans qui sont le plus à risque!**

La noyade survient soit par aspiration d'eau qui emplit les poumons et provoque l'asphyxie, soit par suffocation lorsque la victime a un spasme nerveux qui bloque complètement ses voies respiratoires.

Les premiers soins en cas de noyade sont les suivants :
- *faites appeler des secours, sautez à l'eau et rattrapez l'enfant;*
- *dégagez les voies respiratoires en inclinant la tête vers l'arrière et en soulevant le menton;*
- *si l'enfant ne respire plus, pratiquez le bouche-à-bouche;*
- *une fois l'enfant sorti de l'eau, couchez-le sur le dos;*

- *poursuivez les efforts de réanimation;*
- *en cas d'hypothermie, soit la baisse excessive de la température du corps, enveloppez l'enfant dans des couvertures ou un sac de couchage, et protégez sa tête avec un chapeau ou un foulard;*
- *en cas d'accident de plongeon, évitez au maximum de manipuler l'enfant à cause des risques de fractures.*

Les noyades ne surviennent pas qu'en été. L'hiver, il est dangereux de s'aventurer seul sur les lacs et cours d'eau gelés. Il faut une épaisseur de quinze cm (six pouces) de glace pour supporter un adulte sans danger. Le problème, c'est que l'épaisseur de la glace n'est pas uniforme : elle est plus mince au-dessus des courants et des trous d'eau.

Si votre enfant s'enfonce sous la glace, mettez-vous à plat ventre et retirez-le délicatement mais le plus vite possible. Chaque seconde compte, car votre enfant peut mourir gelé.

Dès sa sortie de l'eau, donnez-lui sans tarder des vêtements secs et une boisson chaude. Puis, transportez l'enfant à l'hôpital.

Les piqûres et morsures

Au Québec, il n'existe pas d'animaux très venimeux. Toutefois, les piqûres d'abeilles ou de guêpes sont douloureuses mais sans gravité, sauf dans les cas d'allergie.

Si le dard est visible, enlevez-le en grattant avec l'ongle ou une carte de plastique, puis appliquez une compresse d'eau froide. Si la piqûre est localisée dans la bouche ou la gorge, surveillez l'enfant car un gonflement peut obstruer les voies respiratoires.

En cas de réaction sérieuse comme l'enflure autour des yeux ou de la bouche, appelez des secours médicaux d'urgence et administrez une injection d'adrénaline si votre enfant souffre d'allergie.

Pour les piqûres de moustique, qui causent des démangeaisons, on peut laver les endroits atteints à l'eau savonneuse.

Le principal risque entraîné par les morsures d'animaux sauvages, c'est la rage, une maladie qui s'attaque au système nerveux et dont les symptômes mettent de deux semaines à six mois pour apparaître. Les renards, les moufettes, les chauves-souris, les ratons laveurs sont les plus susceptibles de transmettre la rage, mais les chiens, les chats et les bovins peuvent aussi être porteurs. La plupart des 400 cas d'animaux atteints de rage au Québec chaque année sont ceux de renards.

En cas de morsure :

- *laissez un peu la plaie saigner (sauf saignement abondant), pour qu'elle se nettoie;*

- *lavez soigneusement avec de l'eau et du savon pour éliminer la salive de l'animal;*

- *couvrez la morsure d'un pansement ou d'un bandage;*

- *consultez rapidement un médecin qui décidera s'il y a lieu d'administrer un vaccin contre le tétanos ou la rage;*

- *appelez la SPCA locale ou Agriculture Canada pour signaler l'animal mordeur afin qu'on détermine s'il est porteur de la rage.*

Les plaies

Les enfants ne sont pas à l'abri des plaies, et à ce chapitre, les genoux écorchés arrivent bons premiers! Cependant, qu'il s'agisse d'une simple écorchure, d'une lacération plus importante, ou d'une coupure assez profonde, les plaies présentent deux risques : l'hémorragie et l'infection.

La plaie simple, les parents peuvent la soigner à l'aide de leur trousse de premiers soins, de becs et de paroles réconfortantes. Souvent, l'enfant a eu plus de peur que de mal.

Toutefois, les plaies importantes doivent être traitées par un médecin, afin de s'assurer que la blessure soit professionnellement nettoyée pour prévenir les risques d'infection, que des points de suture soient utilisés si nécessaire et qu'un traitement anti-tétanos soit administré si requis.

Dans le cas d'une simple écorchure, il suffit de nettoyer à l'eau savonneuse, d'essuyer avec un tampon de gaze (évitez le coton qui laisse des fibres dans la plaie), d'appliquer un pansement adhésif, et de le changer plusieurs fois par jour, en vérifiant en même temps si la plaie n'a pas enflé ou ne présente pas de rougeur ou de pus.

Pour les plaies graves avec hémorragie, demandez immédiatement l'intervention de personnel médical d'urgence. Entre-temps, comprimez la plaie avec votre main pour freiner l'hémorragie, mais ne tentez pas de mettre un garrot si vous n'avez pas reçu de formation paramédicale à cet effet; appliquez une compresse stérile fixée par un bandage et, si le sang traverse, n'enlevez pas la compresse, ajoutez-en une par-dessus. Si un objet est introduit dans la plaie, ne l'enlevez pas vous-même afin d'éviter d'endommager les vaisseaux sanguins.

Les yeux

Les blessures aux yeux, chez les enfants, sont dues le plus souvent aux accidents sportifs; le hockey et le baseball sont les plus dangereux. Il ne faut pas prendre « l'œil au beurre noir » à la légère; mieux vaut consulter un médecin pour éviter que des lésions non apparentes passent inaperçues.

Une irritation de l'œil peut aussi être causée par un cil, une poussière ou un grain de sable. Si cette poussière est sur la cornée ou si elle adhère au globe oculaire, n'essayez pas de l'enlever. Agissez toujours avec prudence pour ne pas aggraver la lésion.

La meilleure prévention consiste à ne jamais laisser un enfant sans surveillance et à le munir des protections appropriées.

Faites le tour de votre résidence et de votre terrain et pensez à éliminer les sources de danger pour votre enfant. N'hésitez pas à l'obliger à porter des équipements protecteurs pour les sports (casque de bicyclette, protecteurs de genoux et de bras pour le patin, gilet de sauvetage adapté à sa taille pour les sports nautiques, crème solaire).

Appliquez vous-mêmes des règles de prudence et de sécurité et ne tardez pas à les apprendre à vos enfants.

VI. *Aide-mémoire sur la sécurité*

Si votre enfant se blesse ou tombe malade et que vous vous rendez compte qu'avec un peu de prévoyance vous auriez pu éviter cette situation, vous pourriez vous sentir un peu coupables... Mieux vaut prévenir, dit-on, et la prévention commence dans notre environnement familier.

Alors, jetez un coup d'œil critique autour de vous et vérifiez les points suivants :

Sécurité dans la cuisine

- *Les fils électriques ne pendent pas du comptoir;*
- *Les poignées des chaudrons sont orientées vers l'arrière de la cuisinière;*
- *Les sacs de plastique, les produits de nettoyage, les couteaux et ustensiles sont rangés hors d'atteinte;*
- *Les portes d'armoires sont munies de loquets de sécurité;*
- *Vous avez un extincteur sous la main et vous le faites vérifier régulièrement.*

Sécurité dans la salle de bains

- *Les séchoirs, rasoirs et tous les appareils électriques sont débranchés et rangés hors d'atteinte;*
- *Les produits de nettoyage sont aussi hors d'atteinte;*
- *Toutes les prises de courant ont un disjoncteur automatique;*
- *Il est facile (pour un adulte) d'ouvrir la porte même si elle est verrouillée de l'intérieur.*

Sécurité dans l'escalier

- *Il ne traîne jamais de jouets, souliers, vêtements ou autres obstacles dans l'escalier;*
- *Tant que votre enfant n'est pas capable de monter et descendre l'escalier facilement, des barrières sont installées en haut et en bas;*
- *L'escalier est bien éclairé;*
- *Les rampes d'escalier sont solides.*

Sécurité dans les diverses pièces

- *Les prises de courant non utilisées sont recouvertes d'une plaque protectrice;*
- *Les cordons de rideaux et de stores sont hors d'atteinte;*
- *Il n'y a pas de sacs en plastique dans les garde-robes;*
- *Les tapis ont un envers anti-dérapant;*
- *Les petits meubles ne se renversent pas facilement si l'enfant grimpe dessus;*
- *Les tablettes et étagères sont solides et sécuritaires;*
- *Les portes vers l'extérieur et vers les escaliers ne peuvent pas être ouvertes par les enfants;*
- *Les bouteilles de vin et d'alcool sont conservées sous clé;*
- *Les cigarettes, allumettes, briquets sont toujours rangés hors d'atteinte;*
- *Les cigarettes allumées ne sont jamais laissées dans un cendrier sans surveillance.*

Sécurité dans la salle de lavage

- *Les produits de nettoyage, assouplissants, eau de Javel, etc. sont hors d'atteinte;*
- *Le fer à repasser est rangé hors d'atteinte;*
- *Dans le sous-sol ou l'atelier, les outils sont débranchés et rangés de façon sécuritaire.*

Sécurité à l'extérieur

- *Il n'y a rien près de la balustrade du balcon qui permette à l'enfant de grimper;*
- *Le garage et la remise à outils sont fermés à clé;*
- *L'accès à la piscine ou à un bassin d'eau décoratif est impossible;*
- *Les poubelles extérieures ont un couvercle sécuritaire;*
- *Il n'y a pas de cordes vers les arbres et les clôtures;*
- *Le barbecue et ses accessoires sont rangés de façon sécuritaire;*

- *Les clôtures et loquets des portes d'accès sont en bon état;*
- *La tondeuse et les outils de jardinage ne sont jamais laissés sans surveillance.*

Surtout, surveillez votre enfant! Ne vous laissez pas distraire par un appel téléphonique pendant lequel votre enfant pourrait se noyer dans la piscine. Achetez plutôt un répondeur...

La nutrition

Préface

L'alimentation est un aspect déterminant de la santé de l'enfant. En effet, nous savons depuis longtemps qu'une saine alimentation favorise une bonne croissance. Nous savons également qu'on peut prévenir, par une alimentation adéquate, des problèmes de santé importants comme le cancer et les maladies cardio-vasculaires.

Une bonne nutrition constitue donc un atout précieux pour la santé de votre enfant. Mais bien se nourrir, ce n'est pas seulement savoir consommer des éléments nutritifs judicieusement choisis. C'est aussi un des grands plaisirs de la vie, que les parents seront attentifs à charger de signification pour en faire quotidiennement un moment privilégié pour l'enfant au point de vue affectif, familial et social.

L'enfant acquiert ses habitudes et ses comportements alimentaires dès le jeune âge. C'est pourquoi il est si important d'accorder une attention particulière aux aliments offerts et à l'ambiance des repas. Toutefois, malgré toute la bonne volonté des parents, il arrive parfois que l'heure des repas prenne des allures de crise si l'enfant conteste le contenu de son assiette.

Ce chapitre a pour but de vous servir de guide pour orienter les choix d'aliments à offrir à votre enfant. Vous y trouverez également des conseils pratiques et des indications sur les attitudes à adopter pour vivre les repas comme des moments agréables. Si, malgré tout, des problèmes d'ordre alimentaire apparaissent et persistent, ou si vous désirez plus de renseignements, n'hésitez pas à consulter une diététiste de votre région.

Que ce guide contribue à préserver la santé de votre enfant tout en lui faisant découvrir le plaisir de manger sainement!

Mireille Abran, B.Sc.Dt.P.
Diététiste-nutritionniste
Clinique familiale des Prairies
N.D.P. (Joliette)

Introduction

Une bonne alimentation est un élément crucial du développement harmonieux de votre enfant. Mais en quoi consiste, justement, une « bonne » alimentation?

En fait, la bonne alimentation, c'est surtout le souci de privilégier la qualité et la diversité.

Ainsi, pour un enfant, une saine nutrition va tenir compte de trois consignes de base :

1. offrir à l'enfant un choix d'aliments sains;
2. laisser l'enfant choisir la quantité de nourriture qu'il désire;
3. offrir une grande variété d'aliments, afin que l'enfant absorbe les éléments nutritifs nécessaires à sa vitalité et à sa croissance.

On ne force jamais un enfant à manger. L'appétit varie d'un enfant à l'autre et, chez le même enfant, il varie d'une journée à l'autre ou d'un repas à l'autre.

I. *Les habitudes, les besoins et les goûts*

Comme l'enfant prend modèle sur ses parents, ses habitudes alimentaires peuvent être modelées en donnant un cadre agréable aux repas. Il suffit pour cela d'adopter une attitude parentale positive à l'égard de la nourriture et de sa préparation, de donner à l'enfant un rôle à jouer (à la hauteur de ses capacités) dans la cuisine, et de prendre les repas en famille, dans une atmosphère détendue et harmonieuse.

En variant les menus et en prévoyant quotidiennement la consommation d'aliments de chacun des quatre groupes alimentaires (lait, céréales, légumes et fruits, viande, qui sont présentés plus loin), l'enfant recevra l'apport normal des éléments essentiels à sa croissance et à son développement.

Les besoins alimentaires des enfants (tout comme ceux des adultes) sont respectés lorsqu'une gamme d'aliments nutritifs est offerte.

De surcroît, l'alimentation c'est aussi une question de goût et souvent, c'est à ce niveau que les parents peuvent éprouver des problèmes.

Il n'est nullement nécessaire de forcer un enfant à manger quelque chose qu'il n'aime pas. D'abord, parce qu'on ne veut pas le décourager de manger et, deuxièmement, parce que les goûts de l'enfant évoluent rapidement. Ce qu'il goûte et rejette aujourd'hui pourrait devenir

dans quelques semaines un aliment très apprécié. Alors, faites de nouveaux essais régulièrement, sans oublier que de nombreux adultes n'ont jamais réussi à aimer les épinards ou le brocoli et ne s'en portent pas plus mal!

Exemples de comportements alimentaires par groupe d'âge

(selon la diététiste et auteure Louise Lambert-Lagacé)

Durant la deuxième année

- *Aime les rituels et les routines;*
- *Mange seul ce qu'il aime;*
- *Utilise adéquatement une cuillère et un verre;*
- *Aime goûter à de nouveaux aliments;*

- *Aime grignoter entre les repas;*
- *Commence à demander toujours le même aliment;*
- *Mange mieux dans son décor habituel;*
- *Perd l'appétit si les habitudes sont bousculées.*

Votre rôle

- *Donnez les repas à heures régulières;*
- *Saisissez l'occasion d'offrir de nouveaux aliments;*
- *Montrez que vous aimez les aliments;*
- *Offrez de petites collations.*

Que c'est bon!

Durant la troisième année

- *Boude les légumes et les nouveaux aliments;*
- *Mange relativement peu durant les repas;*
- *Peut avoir besoin d'encouragements pour manger;*
- *Est encore trop jeune pour se tenir « bien » à table;*
- *Aime les surprises : fruit, dessert favori, etc.*

Votre rôle

- *Évitez les trop grosses portions;*
- *Ne forcez jamais à vider l'assiette;*
- *Introduisez de nouveaux aliments comme des surprises;*
- *Accordez plus d'importance à l'alimentation qu'aux bonnes manières à table (mais exigez néanmoins un comportement acceptable).*

Durant la quatrième année

- *A un appétit accru;*
- *Est moins catégorique dans ses refus et préférences;*
- *Prend moins de temps à manger;*
- *N'aime toujours pas divers légumes;*
- *Sait se verser un verre d'eau ou de lait tout seul;*
- *Boit son verre d'un trait;*
- *Aime aider, par exemple en mettant le couvert.*

Votre rôle

- *N'insistez pas pour que l'assiette soit vide;*
- *Demandez l'aide de l'enfant dans la cuisine;*
- *Profitez de son goût d'explorer en proposant de nouveaux aliments.*

Durant la cinquième année

- *Peut vouloir toujours le même aliment;*
- *Mange lentement;*
- *Préfère les mets simples;*
- *N'apprécie ni les aliments trop chauds ni trop froids;*
- *Capable de se tenir « bien » à table;*
- *Termine généralement son assiette;*
- *Curieusement, mange au restaurant des mets qu'il refuse à la maison.*

Votre rôle

- *Cuisinez simplement; évitez les ragoûts et autres mets à multiples ingrédients;*
- *Utilisez les sorties pour faire découvrir de nouveaux aliments;*
- *Offrez la soupe tiède (ajoutez du lait);*
- *Armez-vous de patience...*

Je suis capable!

(Ce tableau résumé des divers groupes d'âge est adapté du contenu de l'ouvrage *La sage bouffe de 2 à 6 ans,* publié aux Éditions de l'Homme, de la diététiste Louise Lambert-Lagacé)

Rendre les repas agréables

L'atmosphère familiale à l'heure des repas ainsi que l'attitude positive des parents vont favoriser le développement de saines habitudes alimentaires chez l'enfant. En donnant aux repas une ambiance agréable, on peut dissiper la mauvaise humeur et les caprices excessifs.

Comme à toutes les étapes du comportement de l'enfant, ce sont l'amour et la compréhension des parents qui permettront d'atteindre les meilleurs résultats. Voici comment progresser dans la bonne direction :

- maintenez une atmosphère sereine et harmonieuse durant le repas : c'est un plaisir partagé en famille;

- tolérez des « caprices » sans conséquence; établissez les limites;

J'aime pas ça!

- adaptez vos attentes aux capacités de l'enfant à les satisfaire, selon son stade de développement;

- ne forcez pas l'enfant; la confrontation n'apporte aucun résultat positif;

- n'oubliez pas que l'enfant n'aime pas nécessairement les mêmes aliments que les adultes et que ses goûts changent, souvent rapidement.

II. Les groupes alimentaires

Une saine alimentation est basée sur une variété qui fait appel aux quatre principaux groupes alimentaires.

Les produits laitiers

Le lait revêt une grande importance car il apporte à l'enfant son approvisionnement vital en calcium et en vitamine D. Un demi-litre (16 onces) de lait comble les besoins quotidiens.

Cela ne signifie pas que l'enfant doive boire 500 ml de lait chaque jour! Cette portion quotidienne peut très bien être divisée comme suit :

- 1/2 à 3/4 de tasse de lait

- un yogourt (125 mL)

- 1/2 tasse de dessert au lait (pouding, etc.)

- 1 once (30 grammes) de fromage

Des trucs :

- *servez du lait pendant les repas mais en quantité modérée pour que boire ne coupe pas la faim de votre enfant;*

- *servez de petites portions dans la journée;*

- *préparez de merveilleux « milkshakes »;*

- *offrez du fromage en collation.*

Les légumes et les fruits

Le rôle des légumes et des fruits dans l'alimentation est de fournir l'apport requis en vitamines A et C, ainsi que les sels minéraux et des fibres alimentaires.

Par exemple, une portion quotidienne de légumes et fruits peut être composée comme suit :

- 1/2 à 1 fruit
- 1/2 tasse de jus de fruit (sans sucre ajouté)
- 1/4 tasse de légumes

Variez les légumes et les fruits présentés à table au fil des saisons, et souvenez-vous que les enfants aiment manger avec leurs doigts : ils préféreront souvent les légumes crus, comme les bâtonnets de carotte.

Donnez libre cours à votre imagination et à vos talents culinaires. Servez des carottes, des épinards, des tomates, du brocoli, des haricots verts, du chou, du maïs, des pois verts, du navet. Ajoutez du poivron vert ou d'autres couleurs, des choux de Bruxelles, du chou-fleur et, naturellement... des pommes de terre.

Servez aux enfants qui n'apprécient guère les légumes, des soupes et potages, des fondues aux légumes, de la pizza maison et des légumes légèrement sautés à la chinoise. Proposez des trempettes aux légumes, des salades et des jus de légumes.

Si vous avez un jardin, donnez à votre enfant son mini lopin de terre et aidez-le à y faire pousser des légumes qu'il mangera avec grande fierté.

Si votre enfant aime peu les légumes en général, vous pourrez facilement lui faire accepter des fruits, soit crus, apprêtés dans des desserts ou en conserve. Proposez des pommes, des oranges et des clémentines, des bananes, des pêches, des poires, des kiwis, du raisin, etc.

La viande et ses substituts

La viande procure les protéines nécessaires à la croissance et elle contribue à l'oxygénation du sang grâce au fer qu'elle contient. Néanmoins, la viande n'est pas vraiment nécessaire à une saine alimentation.

D'ailleurs, les jeunes enfants ne sont guère attirés par les steaks et les côtelettes, et il est souvent préférable de leur servir des pains de viande, de la sauce à spaghetti à la viande, des pâtés, etc.

De nombreux autres aliments peuvent être substitués à la viande et procurer des teneurs valables en protéines et en fer :

- les œufs
- le poisson

- le beurre d'arachides et les noix

- les légumineuses (lentilles, soupe aux pois, etc.)

- le tofu

La portion de viande et substituts à servir chaque jour équivaut à deux des choix ci-dessous :

- 2 onces (60 grammes) de poulet ou poisson, bœuf, veau, porc, dinde, foie, etc.

- 1/3 à 1/2 tasse de légumineuses cuites (lentilles, fèves rouges, tofu, etc.)

- 1 à 2 œufs

- 1 à 2 c. à table de beurre d'arachides.

Les céréales

Elles sont précieuses pour leur apport en glucides, en vitamines B et en fibres. On inclut dans le groupe des produits céréaliers, le pain à grains entiers, le riz, les céréales de petit déjeuner, les craquelins, l'orge, l'avoine, les pâtes alimentaires, etc.

La portion quotidienne peut se composer comme suit :

- 1/2 tasse de céréales
- 1/3 à 1/2 tasse de riz ou pâtes
- 1/2 à 1 tranche de pain ou un petit muffin.

Prenez garde aux céréales de couleurs vives et outrageusement sucrées que les manufacturiers présentent dans des emballages extrêmement attrayants pour les enfants. Assurez-vous de choisir des céréales qui ne sont pas givrées et servez-les

Lorsque de bonnes habitudes alimentaires sont acquises, on peut alors permettre des exceptions.

plutôt avec des fruits frais ou en conserve. Variez les petits déjeuners avec du gruau servi chaud (en quelques secondes seulement au four à micro-ondes), une excellente manière de commencer une belle journée d'hiver!

Les autres aliments...

Que penser des « autres aliments », ceux qui, vous l'aurez remarqué, ne figurent pas dans les groupes alimentaires ci-dessus? Eh bien! le chocolat, les bonbons, les croustilles, les boissons gazeuses, etc. sont peu nutritifs. Ils n'ont donc pas leur place dans l'alimentation équilibrée de tous les jours; or les enfants sont les enfants, et vous pouvez offrir ces autres aliments à l'occasion, en quantité modérée.

Les enfants sont aussi de grands adeptes de la restauration rapide, et il n'est pas nécessaire de leur refuser ce plaisir. Après tout, « fast food » n'égale pas nécessairement « junk food », et vous pouvez aider votre enfant à faire un bon choix de menu. Par exemple :

Choisir	*Au lieu de*
Hamburger avec fromage	Hot dog
Cuisse de poulet BBQ	Croquettes de poulet
Lait ou jus de fruits	Boisson gazeuse
Salade ou bâtonnets de légumes crus	Frites
Pizza	Poutine

Il revient aux parents d'exercer leur jugement et leurs talents culinaires afin qu'une saine nutrition soit attrayante pour leurs enfants, et ces derniers apprendront à l'apprécier plus et mieux que du « junk food ».

Les aliments « biologiques »

Il s'agit d'aliments produits par culture sans pesticides. Les pesticides sont des produits chimiques utilisés dans la production, par exemple, de fruits et légumes. Or l'utilisation de ces pesticides est associée à des problèmes de santé, comme le cancer. Les aliments biologiques sont un atout pour la santé.

Quelques conseils

- *Renseignez-vous quant à la disponibilité d'aliments biologiques dans votre région : au marché ou à la ferme, dans votre supermarché.*

- *Achetez de préférence vos fruits et légumes de producteurs locaux.*

- *Consommez les fruits et légumes de la saison. Les légumes hors saison provenant de l'étranger peuvent contenir plus de pesticides.*

- *Lavez et essuyez vos fruits et légumes avant de les apprêter ou de les manger.*

III. *Les portions*

Il ne sert à rien de décourager votre enfant en lui servant inutilement de pleines assiettées. Le **Département de santé communautaire de l'Hôpital Saint-Luc** à Montréal recommande les quantités suivantes :

Groupes d'aliments	Grosseur d'une portion par repas	
	deux à trois ans	quatre à cinq ans
Produits céréaliers	1/2 à 3/4 tranche de pain 1/3 tasse riz ou pâtes	3/4 à 1 tranche de pain 1/2 tasse riz ou pâtes
Légumes et fruits	3 c. à table 1/2 fruit	4 c. à table 1 fruit
Produits laitiers	4 à 6 oz lait ou yogourt cube de fromage 1" x 1"	6 oz. lait ou yogourt cube de fromage 1/2 x 1 1/2"
Viande et substituts	3 c. à table 6 c. à table de légumineuses	4 c. à table 1/2 tasse de légumineuses

> **« L'adulte fournit la qualité, l'enfant détermine la quantité. »**
>
> Louise Lambert-Lagacé,
> diététiste

Un problème courant avec les enfants, c'est le manque apparent d'appétit. Bien des enfants mangent moins que ne le voudraient les parents, et ils se portent néanmoins très bien. Parfois, un enfant qui est dérangé dans un jeu passionnant parce que c'est l'heure du repas refusera de manger... parce qu'il a mieux à faire!

Voici quelques conseils pour que les repas en famille ne soient pas perturbés par votre enfant :

- *évitez les mets trop chauds ou fortement épicés;*
- *n'insistez pas si un nouvel aliment ne plaît pas; vous l'essayerez à nouveau dans quelques semaines;*
- *soyez flexibles : aucun aliment n'est essentiel à la santé; faites des substitutions, par exemple en remplaçant les légumes par des fruits; cachez la viande dans des pâtés chinois ou des hamburgers maison, etc.;*

- *offrez trois repas, plus trois collations par jour à l'enfant qui refuse de manger; mais pas de collation à moins de deux heures avant les repas;*

- *assurez-vous que les collations soient saines : privilégiez les fruits, les légumes, le fromage, les biscuits à l'avoine, les yogourts, etc.;*

- *évitez les soupes et les salades au début du repas : elles peuvent couper l'appétit pour le plat principal;*

- *ne montrez jamais de découragement devant les caprices.*

Collation S.V.P.

IV. *L'embonpoint*

Il faut contribuer à développer chez l'enfant une image positive de sa propre apparence corporelle, afin de renforcer son estime de soi. Votre enfant doit avoir l'assurance que vous l'aimez et qu'on le respecte, quelle que soit sa taille.

On ne doit pas mettre un enfant au régime. Il faut plutôt encourager des habitudes alimentaires saines qui privilégient, entre autres, les légumes et les fruits et minimisent les fritures, les panures, les pâtisseries et autres sucreries.

Il ne faut toutefois pas choisir pour les jeunes enfants des aliments écrémés et faibles en matières grasses. Votre enfant a besoin, pour sa croissance, d'une certaine quantité de gras fournie par les produits laitiers et le groupe des viandes.

Il est également nécessaire d'encourager l'enfant à se livrer à de l'activité physique. La tendance à l'embonpoint est souvent reliée à un manque d'activités. Et ce n'est pas étonnant : au Québec, les enfants de deux à onze ans regardent en moyenne 25 heures de télévision par semaine!

Si l'excès de poids de votre enfant devient pour vous un sujet de préoccupation, consultez une diététiste qui vous aidera à orienter vos choix de nourriture et vos comportements alimentaires.

V. *La plus belle récompense*

Guider le développement affectif, social, physique, intellectuel d'un enfant, c'est une merveilleuse aventure.

Ce n'est toutefois pas facile. Il faut doser la patience, la compréhension et la fermeté. Il faut obtenir des réponses à de nombreuses questions et essayer de ne pas se tromper.

Mais surtout, il faut rester soi-même. Aimez votre enfant sans limite : vous verrez dans ses yeux, dans son sourire, dans son attitude, combien il vous le rend, cet amour.

C'est la plus belle récompense, elle fait oublier instantanément tous les moments difficiles.

Bibliographie

DUCLOS, Germain et Danielle LAPORTE. *Du côté des enfants*, vol. II, Hôpital Sainte-Justine, 1992

FRAIBERG, S.H. *Les années magiques*, Presses universitaires de France, 1967

LAFRENIÈRE, Maryse. *Situations d'urgence*, Le Magazine Protégez-vous, 1995

LAMBERT-LAGACÉ, Louise. *La sage bouffe de 2 à 6 ans*, Les Éditions de l'Homme, 1984

MASSONNAUD, Dr Michel et Dr Thierry JOLY. *Les maladies de l'enfant*, Hachette, 1987

STOPPARD, Dr Miriam. *Stimulez le développement de votre enfant*, Libre Expression, 1996

SOCIÉTÉ CANADIENNE DE PÉDIATRIE. *Petit guide sur le bien-être des enfants*, 1994

Liste des numéros de téléphone utiles

Assurance-médicaments
Assurance-maladie
1-800-561-9749

Audition et langage
Centre de l'ouïe et de la parole pour l'Est du Québec
(418) 627-2250

Service d'orthophonie de l'Hôpital Sainte-Justine
(514) 345-4693

Centre anti-poison du Québec
(418) 656-8090
1-800-463-5060

CLSC
(voir liste à la page 240)

Communication-Québec
(voir liste à la page 252)

Info-Santé
(514) 275-7575
(418) 648-2626

Ordre des diététistes du Québec
(514) 393-3733

Ordre des psychologues du Québec
(514) 738-1881
1-800-363-2644

Ministère de la Famille et de l'Enfance
(tous les services de garde)
1-800-363-0310

Parents anonymes
(centre d'écoute téléphonique ouvert 7 jours sur 7 pour
aider les parents ayant des difficultés dans leur relation
avec leurs enfants)
(514) 288-5555
1-800-361-5085

Urgence
(911) ou Sureté du Québec : 1-800-461-2131

Liste des CLSC

Région	Ville—Numéro de téléphone	Région	Ville—Numéro de téléphone
01	CLSC Les Aboiteaux Saint-Pascal (Québec) **418 492 1223**	01	CLSC Rivières et Marées Rivière-du-Loup (Québec) **418 867 2642**
01	CLSC des Basques Trois-Pistoles (Québec) **418 851 1111**	01	CLSC Témiscouata Cabano (Québec) **418 854 2572**
01	CLSC de l'Estuaire Rimouski (Québec) **418 724 7204**	01	CLSC de la Vallée Causapscal (Québec) **418 756 3451**
01	CLSC des Frontières et CHSLD du Témiscouata Saint-Eleuthère (Québec) **418 859 2450**	02	CLSC du Fjord Ville de la Baie (Québec) **418 544 7316**
01	CLSC de Matane Matane (Québec) **418 562 5741**	02	CLSC du Grand Chicoutimi Chicoutimi (Québec) **418 543 2221**
01	CLSC de la Mitis Mont-Joli (Québec) **418 775 2251**	02	CLSC de la Jonquière Jonquière (Québec) **418 695 2572**

Région	Ville—Numéro de téléphone	Région	Ville—Numéro de téléphone
02	CH—CHSLD—CLSC Maria-Chapdelaine Mistassini (Québec) **418 276 2572**	03	CLSC Laurentien Ancienne-Lorette (Québec) **418 872 0881**
02	CLSC Le Norois Alma (Québec) **418 668 4563**	03	CLSC Orléans Sainte-Anne-de-Beaupré (Québec) **418 827 5241**
02	CLSC des Prés-Bleus Saint-Félicien (Québec) **418 679 5270**	03	CLSC de Portneuf Saint-Marc-des-Carrières (Québec) **418 268 3571**
03	CLSC Basse-Ville-Limoilou Québec (Québec) **418 529 6592**	03	CLSC Sainte-Foy—Sillery Sainte-Foy (Québec) **418 651 2572**
03	CLSC Charlevoix La Malbaie (Québec) **418 665 6413**	03	CLSC La Source Charlesbourg (Québec) **418 628 2572**
03	CLSC Haute-Ville Québec (Québec) **418 641 2572**	04	CLSC et CHSLD Les blés d'or Fortierville (Québec) **819 287 4442**
03	CLSC de la Jacques-Cartier Val-Bélair (Québec) **418 843 2572**	04	CLSC du Centre-de-la-Mauricie Shawinigan (Québec) **819 539 8371**

Région	Ville—Numéro de téléphone	Région	Ville—Numéro de téléphone
04	CLSC des Chenaux Sainte-Geneviève-de-Batiscan (Québec) **418 362 2727**	04	CLSC Normandie Sainte-Tite (Québec) **418 365 7555**
04	Regroupement Cloutier-du Rivage Cap-de-la-Madeleine (Québec) **819 694 1414**	04	CLSC Suzor-Côté Victoriaville (Québec) **819 758 7281**
04	CLSC Drummond Drummondville (Québec) **819 474 2572**	04	CLSC Valentine-Lupien Saint-Paulin (Québec) **819 268 2572**
04	CLSC-CHSLD de l'Érable Plessisville (Québec) **819 362 6301**	05	CLSC Alfred-Desrochers Magog (Québec) **819 843 2572**
04	CLSC Les Forges Trois-Rivières (Québec) **819 379 7131**	05	CLSC-CH-CHSLD de la MRC d'Asbestos Asbestos (Québec) **819 879 7181**
04	Carrefour de santé et de services sociaux de la Saint-Maurice La Tuque (Québec) **819 523 4581**	05	CLSC-CHSLD de la MRC Coaticook Coaticook (Québec) **819 849 7041**
04	Complexe santé et services sociaux Nicolet-Yamaska Nicolet (Québec) **819 293 6789**	05	CLSC Gaston-Lessard Sherbrooke (Québec) **819 563 2572**

Région	Ville—Numéro de téléphone	Région	Ville—Numéro de téléphone
05	CLSC - CHSLD du Haut-St-François Weedon (Québec) **819 877 3434**	06	CLSC Les Faubourgs Montréal (Québec) **514 527 2361**
05	CLSC Maria-Thibault Lac Mégantic (Québec) **819 583 2572**	06	CLSC Hochelaga-Maisonneuve Montréal (Québec) **514 253 2181**
05	CLSC «SOC» Sherbrooke (Québec) **819 565 1330**	06	CLSC J.-Octave-Roussin Montréal (Québec) **514 642 4050**
05	Carrefour de la santé et des services sociaux du Val Saint-François Richmond (Québec) **819 826 3781**	06	CLSC Lac Saint-Louis Pointe-Claire (Québec) **514 697 4110**
06	CLSC Ahuntsic Montréal (Québec) **514 381 4221**	06	CA-CLSC LaSalle La Salle (Québec) **514 364 2572**
06	CLSC Bordeaux-Cartierville Montréal (Québec) **514 331 2572**	06	CLSC Mercier-Est—Anjou Montréal (Québec) **514 356 2572**
06	CLSC Côte-des-Neiges Montréal (Québec) **514 731 8531**	06	CLSC Métro Montréal (Québec) **514 934 0354**

Région	Ville—Numéro de téléphone	Région	Ville—Numéro de téléphone
06	CLSC Montréal-Nord Montréal-Nord (Québec) **514 327 0400**	06	Clinique communautaire Pointe Saint-Charles Pointe St-Charles **514 937 9251**
06	CLSC NDG—Montréal-Ouest Montréal (Québec) **514 485 1670**	06	CLSC René-Cassin Montréal (Québec) **514 488 9163**
06	CLSC Olivier-Guimond Montréal (Québec) **514 255 2365**	06	CLSC Rivière-des-Prairies Montréal (Québec) **514 494 4924**
06	CLSC Parc Extension Montréal (Québec) **514 273 9591**	06	CA-CLSC Rosemont Montréal (Québec) **514 524 3541**
06	CLSC La Petite Patrie Montréal (Québec) **514 273 4508**	06	CLSC Saint-Henri Montréal (Québec) **514 933 7541**
06	CLSC Pierrefonds Pierrefonds (Québec) **514 626 2572**	06	CLSC Saint-Laurent Ville Saint-Laurent (Québec) **514 748 6381**
06	CLSC du Plateau Mont-Royal Montréal (Québec) **514 521 7663**	06	CLSC Saint-Léonard Saint-Léonard (Québec) **514 328 3460**

Région	Ville—Numéro de téléphone	Région	Ville—Numéro de téléphone
06	CLSC Saint-Louis du Parc Montréal (Québec) **514 286 9657**	07	CLSC de Hull Hull (Québec) **819 770 6900**
06	CLSC Saint-Michel Montréal (Québec) **514 374 8223**	07	CLSC Le Moulin Gatineau (Québec) **819 663 9214**
06	CLSC Verdun—Côte St-Paul Verdun (Québec) **514 766 0546**	07	Le CLSC et le CHSLD de la Petite-Nation Saint-André-Avellin (Québec) **819 983 7341**
06	CLSC du Vieux Lachine Lachine (Québec) **514 639 0650**	07	Le CLSC, Le CHSLD Le Centre Hospitalier Pontiac Mansfield (Québec) **819 683 3000**
06	CLSC Villeray Montréal (Québec) **514 376 4141**	07	CLSC de la Rivière Désert Maniwaki (Québec) **819 449 2513**
07	CLSC et CHSLD de Gatineau Gatineau (Québec) **819 561 2550**	07	CLSC de la Vallée de la Gatineau Low (Québec) **819 422 3548**
07	CLSC et CHSLD Grande-Rivière Aylmer (Québec) **819 684 2251**	07	CLSC Vallée-de-la-Lièvre Buckingham (Québec) **819 986 3359**

Région	Ville—Numéro de téléphone	Région	Ville—Numéro de téléphone
08	CLSC des Aurores Boréales La Sarre (Québec) **819 333 2354**	09	C. S. de la Basse Côte-Nord Lourdes-de-Blanc-Sablon (Québec) **418 461 2144**
08	CLSC-CHSLD les Eskers Amos (Québec) **819 732 3271**	09	CLSC de Forestville Forestville (Québec) **418 587 2212**
08	CLSC Le Partage des Eaux Rouyn-Noranda (Québec) **819 762 8144**	09	Centre communautaire des sss de la Haute Côte-Nord Les Escoumins (Québec) **418 233 2931**
08	C.S. Sainte-Famille Ville-Marie (Québec) **819 629 2420**	09	C.S. de l'Hématite Fermont (Québec) **418 287 5461**
08	C.S. de Témiscaming Témiscaming (Québec) **819 627 3385**	09	Centre de Santé de la Minganie Havre Saint-Pierre (Québec) **418 538 2212**
08	Centre de santé Vallée-de-l'Or Senneterre (Québec) **819 737 2243**	09	C.S. de Port-Cartier Port-Cartier (Québec) **418 766 2715**
09	CLSC de l'Aquilon Baie-Comeau (Québec) **418 589 2191**	09	CLSC-Centre de santé des Sept Rivières Sept-Iles (Québec) **418 962 2572**

Région	Ville—Numéro de téléphone
10	Centre de santé et de services sociaux de la Radissonie Chibougamau (Québec) **418 748 7741**
10	Centre de santé et des services sociaux de la Radissonie Lebel-sur-Quevillon (Québec) **819 755 4881**
10	Centre de santé et des services sociaux de la Radissonie Matagami (Québec) **819 739 2515**
10	Centre de santé et des services sociaux de la Radissonie Chapais (Québec) **418 745 2591**
11	CLSC des Berges Mont-Louis (Québec) **418 797 2744**
11	CLSC Chaleurs Paspébiac (Québec) **418 752 2572**

Région	Ville—Numéro de téléphone
11	CLSC L'Estran Grande-Vallée (Gaspé nord) Québec **418 393 2001**
11	C.S. des Hauts-Bois Murdochville (Québec) **418 784 2561**
11	CLSC des Iles Cap-aux-Meules (Québec) **418 986 2572**
11	CLSC Malauze Matapédia (Québec) **418 865 2221**
11	CLSC/CHSLD Pabok Chandler (Québec) **418 689 2572**
11	CLSC de la Pointe Rivière-au-Renard (Québec) **418 269 2572**
12	CLSC-CA des Appalaches Saint-Pamphile (Québec) **418 356 3393**

Région	Ville—Numéro de téléphone	Région	Ville—Numéro de téléphone
12	CLSC Beauce-Centre Saint-Joseph-de-Beauce (Québec) **418 397 5722**	12	Les CLSC et CHSLD de la MRC de L'Islet Saint-Jean-Port-Joli (Québec) **418 598 3355**
12	CLSC-CHSLD de la MRC de Bellechasse Saint-Lazare (Québec) **418 883 2227**	12	Les CLSC et CHSLD de la MRC de Lotbinière Laurier Station (Québec) **418 728 3435**
12	Complexe de Santé et CLSC Paul-Gilbert Charny (Québec) **418 832 2993**	12	Les CLSC et CHSLD de la MRC de Montmagny Saint-Fabien-de-Panet (Québec) **418 249 2572**
12	CLSC Desjardins Lévis (Québec) **418 835 3400**	12	Les CLSC et CHSLD de la MRC de la Nouvelle-Beauce Sainte-Marie-de-Beauce (Québec) **418 387 8181**
12	CLSC—CHSLD de la MRC des Etchemins Lac-Etchemin (Québec) **418 625 8001**	13	CLSC-CHSLD du Marigot Vimont (Québec) **514 668 1803**
12	CLSC Frontenac Thetford Mines (Québec) **418 338 3511**	13	CLSC des Mille-Iles St-Vincent-de-Paul—Laval (Québec) **514 661 2572**
12	CLSC La Guadeloupe La Guadeloupe (Québec) **418 459 3441**		

Région	Ville—Numéro de téléphone	Région	Ville—Numéro de téléphone
13	Regroupement CLSC Norman-Bethune et CHSLD Résidence Ste-Dorothée Chomedey-Laval (Québec) **514 687 5690**	14	CLSC Le Méandre - Les CHSLD Chemin du Roi Le Gardeur (Québec) **514 654 9012**
13	CLSC et CHSLD Ste-Rose de Laval Sainte-Rose (Québec) **514 622 5110**	14	CLSC Montcalm Saint-Esprit (Québec) **514 839 3676**
14	CLSC d'Autray Berthierville (Québec) **514 836 7011**	15	CLSC d'Argenteuil Lachute (Québec) **514 562 8581**
14	CLSC de Joliette Joliette (Québec) **514 755 2111**	15	CLSC Arthur-Buies Saint-Jérôme (Québec) **514 431 2221**
14	CLSC Lamater Terrebonne (Québec) **514 471 2881**	15	CLSC des Hautes-Laurentides Mont-Laurier (Québec) **819 623 1228**
14	CLSC de Matawinie Chertsey (Québec) **514 882 2488**	15	CLSC Jean-Olivier-Chénier Saint-Eustache (Québec) **514 491 1233**
		15	CLSC des Pays-d'en-Haut Sainte-Adèle (Québec) **514 229 6601**

Région	Ville—Numéro de téléphone	Région	Ville—Numéro de téléphone
15	CLSC Thérèse-de-Blainville Sainte-Thérèse (Québec) **514 430 4553**	16	CLSC Jardin du Québec Saint-Rémi (Québec) **514 454 4671**
15	CLSC des Trois-Vallées Saint-Jovite (Québec) **819 425 3771**	16	CLSC Katéri Candiac (Québec) **514 659 7661**
16	CLSC Châteauguay Châteauguay (Québec) **514 699 3333**	16	CLSC Longueuil-Est Longueuil (Québec) **514 463 2850**
16	CLSC La Chênaie Acton Vale (Québec) **514 546 3225**	16	CLSC Longueuil-Ouest Longueuil (Québec) **514 651 9830**
16	CLSC de la Haute-Yamaska Granby (Québec) **514 375 1442**	16	CLSC - CHSLD des Maskoutains Saint-Hyacinthe (Québec) **514 778 2572**
16	CLSC du Havre Sorel (Québec) **514 746 4545**	16	Les CLSC et CHSLD de la Pommeraie Farnham (Québec) **514 293 3622**
16	CLSC Huntingdon Huntingdon (Québec) **514 264 6108**	16	CLSC La Presqu'île Vaudreuil (Québec) **514 455 6171**

Région	Ville—Numéro de téléphone	Région	Ville—Numéro de téléphone
16	CLSC du Richelieu Richelieu (Québec) **514 658 7561**	16	CLSC—CHSLD de la Vallée du Richelieu Beloeil (Québec) **514 536 2572**
16	CLSC Saint-Hubert Saint-Hubert (Québec) **514 443 7400**	17	Centre de santé de la Baie d'Hudson—Inuulitsiv Povungnituk (Québec) **819 988 2957**
16	CLSC Samuel-de-Champlain Brossard (Québec) **514 445 4452**	17	C.S. Tulattavik de l'Ungava Kuujjuaq (Québec) **819 964 2905**
16	CLSC Seigneurie de Beauharnois Valleyfield (Québec) **514 371 0143**	18	CLSC de la Côte—Coastal Conseil Chisassibi (Québec) **819 855 2844**
16	CLSC des Seigneuries Boucherville (Québec) **514 655 3630**	18	CLSC de l'Intérieur—Inland Mistassini (Québec) **418 923 3376**
16	CLSC-CHSLD Champagna de la Vallée des Forts Iberville (Québec) **514 358 2572**		

Liste des bureaux
de Communication-Québec

Région 01	**Bas St-Laurent**	**Région 03**	**Québec**
Rimouski	Communication-Québec 337, rue Moreault, R.C. Rimouski (Québec) G5L 1P4 **(418) 727-3939**	Québec	Communication-Québec 870, boul. Charest Est Québec (Québec) G1K 8S5 **(418) 643-1344**
Région 02	**Saguenay—Lac Saint-Jean**	**Région 04**	**Mauricie—Bois-Francs**
Jonquière	Communication-Québec 3950, boul. Harvey Est Jonquière (Québec) G7X 8L6 **(418) 695-7850**	Trois-Rivières	Communication-Québec 100, rue Laviolette, RC. 26 Trois-Rivières (Québec) G9A 5S9 **(819) 371-6121**
Saint-Félicien	Communication-Québec Complexe du Parc 1209, boulevard Sacré-Coeur, C.P. 7 Saint-Félicien (Québec) G8K 2P8 **(418) 679-0433**	Drummondville	Communication-Québec 270, rue Lindsay, r.c. 16 Drummondville (Québec) J2B 1G3 **(819) 475-8777**

Région 05	Estrie	Région 07	Outaouais
Sherbrooke	Communication-Québec 200, rue Belvédère Nord bureau RC. - 02 Sherbrooke (Québec) J1H 4A9 **(819) 820-3000**	Hull	Communication-Québec 170, rue Hôtel de Ville, Bureau 120 Hull (Québec) J8X 4C2 **(819) 772-3232**
Région 06	**Montréal**	**Région 08**	**Abitibi—témiscamingue**
Montréal	Communication-Québec 2, complexe Desjardins, Tour Est, bur. 1704 C.P. 691, Succ. Desjardins Montréal (Québec) H5B 1B8 **(514) 873-2111** Comptoir d'accueil pour le public: 2, complexe Desjardins Niveau Place Allée Saint-Urbain **(514) 873-2111**	Rouyn Noranda Val d'or	Communication-Québec 108, avenue Principale Rouyn-Noranda (Québec) J9X 4P2 **(819) 764-3241** Communication-Québec 888, 3e Avenue Place du Québec Val d'or J9P 5E6 **(819) 825-3166**

Région 09	**Côte-Nord**	**Région 11**	**Gaspésie—Îles-de-la-Madeleine**
Sept-Îles	Communication-Québec 456, Arnaud R.C. bureau 01 Sept-Îles G4R 3B1 **(418) 964-8000**	Îles-de-la-Madeleine	Communication-Québec 224-A, Route Principale C.P. 340 Cap-aux-Meules (Québec) G0B 1B0 **(418) 986-3222**
	Communication-Québec 625, boul. Laflèche R.C. bureau 701 Baie-Comeau (Québec) G5C 1C5 **(418) 296-4000**	**Région 12**	**Chaudière—Appalaches**
Région 11	**Gaspésie—Îles-de-la-Madeleine**	Saint-Georges	Communication-Québec 11 287, 1re Avenue Est Saint-Georges (Québec) G5Y 2C2 **(418) 226-3000**
Gaspé	Communication-Québec 96, Montée Sandy-Beach, C.P. 1610 Édifice administratif, 1er étage G1C 1R0 **(418) 360-8000**	Thetford-Mines	Communication-Québec 183, rue Pie XI Thetford-Mines (Québec) G6G 3N3 **(418) 338-0181**

Région 13	Laval–Lanaudière	Région 16	Montérégie
Laval	Communication-Québec 1796, boul. des Laurentides Laval (Québec) H7M 2P6 **(514) 873-5555**	Longueuil	Communication-Québec 118, rue Guilbault Longueuil (Québec) J4H 2T2 **(514) 873-8989** **(514) 928-7777**
Joliette	Communication-Québec 420, de Lanaudière Joliette (Québec) J6E 7X1 **(514) 752-6800**	Granby	Communication-Québec 77, rue Principale Granby (Québec) J2G 9B3 **(514) 776-7100**
Région 15	**Laurentides**		
Saint-Jérôme	Communication-Québec 222, Saint-Georges Saint-Jérôme (Québec) J7Z 4Z9 **(514) 569-3019**	Saint-Jean-sur-Richelieu	Communication-Québec 245, Richelieu Saint-Jean-sur-Richelieu (Québec) J3B 6X9 **(514) 346-6879**

Région 16	**Montérégie**
Salaberry-de-Valleyfield	Communication-Québec 83, Champlain Salaberry-de-Valleyfield (Québec) J6T 1W4 **(514) 370-3000**
Saint-Hyacinthe	Communication-Québec 600, avenue Sainte-Anne Saint-Hyacinthe (Québec) J2S 5G5 **(514) 778-6500**

Partout au Québec: 1-800-363-1363

Accès par téléscripteur seulement: les personnes sourdes, muettes ou malentendantes peuvent nous joindre en utilisant un téléscripteur. Les numéros suivants sont réservés à cet usage:

(514) 873-4626
(région de Montréal);
1 800 361-9596
(autres régions du Québec)

Adresse Internet : http://www.comm-qc.gouv.qc.ca

Mise à jour du 16 octobre 1997